中华人民共和国国家标准

高耸结构设计规范

GBJ 135-90

主编单位：同 济 大 学
批准部门：中华人民共和国建设部
施行日期：1991年6月1日

中国建筑工业出版社

1990 北京

中华人民共和国国家标准

高耸结构设计规范

GBJ 135‐90

*

中国建筑工业出版社出版、发行（北京西郊百万庄）

新 华 书 店 经 销

北京市兴顺印刷厂印刷

*

开本：850×1168毫米　1/32　印张：3⅜　字数：91千字

1991年8月第一版　　2006年4月第八次印刷

印数：49151—50650册　　定价：**17.00**元

统一书号：15112·11996

本社网址：http://www.cabp.com.cn

网上书店：http://www.china-building.com.cn

关于发布国家标准《高耸结构
设计规范》的通知

（90）建标字第319号

　　根据国家计委计综〔1984〕305号文的要求，由同济大学会同有关单位共同制订的《高耸结构设计规范》已经有关部门会审。现批准《高耸结构设计规范》GBJ 135—90为国家标准，自一九九一年六月一日起施行。

　　本标准由同济大学负责管理。其具体解释等工作由同济大学负责。出版发行由建设部标准定额研究所负责组织。

中华人民共和国建设部

一九九〇年七月二日

编 制 说 明

本规范是根据国家计委计综[1984]305号文通知的要求由同济大学会同有关单位共同编制而成。

在编制过程中，编制组进行了广泛的调查研究，并以多种方式在全国广泛征求意见，在中国土木工程学会高耸结构委员会的先后三届年会上组织讨论，以及通过试设计校核，最后经有关部门审查定稿。

本规范的编制是以国家标准《建筑结构设计统一标准》GBJ68—84为准则，遵守建筑结构荷载和各本建筑结构（钢结构、混凝土结构、建筑抗震、建筑地基基础）设计规范的基本规定，统一协调各类高耸结构设计中的重大共性技术问题，对个性和具体的技术问题，则由各有关专业规范规程作进一步补充规定。

本规范共分六章及七个附录，其主要内容有：总则、基本规定、荷载、钢塔架和桅杆结构、钢筋混凝土圆筒形塔和地基与基础等。

为了提高规范质量，请各单位在执行本规范过程中注意总结经验和积累资料。如发现需要修改和补充之处，希随时将问题和意见寄给同济大学结构工程学院，以便今后修订时参考。

同济大学

1990年6月

目　录

主 要 符 号

（一）

A——截面面积、毛截面面积、基础底面积；

A_0——锚栓孔面积；

A_n——净截面面积；

A_u、A_u——格构式构件的单肢毛截面面积、净截面面面积；

A_s——钢筋截面面积；

C_{Eh}、C_{Ev}——水平地震作用、竖向地震作用的作用效应系数；

C_G、C_Q——永久荷载、可变荷载的荷载效应系数；

E——弹性模量、地震作用；

E_c——混凝土的弹性模量；

E_s——钢材、钢筋的弹性模量；

E_h、E——水平、竖向地震作用；

F——力、集中荷载、基础和锚板基础所受的拔力（设计值）；

F_E——结构总水平地震作用；

F_{Ev}——结构总竖向地震作用；

F_i、F_{vi}——质点i的水平地震作用、竖向地震作用；

G——永久荷载、结构的重力、基础自重（包括基础上的土重）；

G_i、G_j——集中于质点i、j的重力；

G_E——抗震计算时结构的总重力代表值；

G_e——土体重量；

G_f——基础和锚板基础重量；

H——高耸结构的总高度、上部结构传至基础的水平力；

I ——截面惯性矩；

M ——力矩或弯矩、弯矩设计值、上部结构传至基础的弯矩（设计值）；

ΔM ——附加弯矩；

M_k ——标准荷载作用下的弯矩；

M_l ——横向风振引起的弯矩；

M ——顺风向风力引起的弯矩；

M_x、M_y ——对 x 轴、y 轴的弯矩；

N ——轴向力（拉力或压力）及其设计值、纤绳拉力、上部结构传至基础的竖向荷载设计值；

N_F ——欧拉临界力；

N_k ——标准荷载作用下的轴向力；

N_y ——截面弯矩在单肢中引起的轴力；

N^b ——每个螺栓承载力设计值；

N_c^b、N_t^b、N_v^b ——每个螺栓的承压、受拉、受剪承载力设计值；

Q ——可变荷载；

R ——抗力；

Re ——雷诺数；

$R(\cdot)$ ——结构构件的抗力函数；

R_M、R_N ——截面抗弯、抗压承载能力；

S ——作用（荷载）效应、截面对某轴的面积矩；

S_j ——j 振型水平地震作用产生的地震作用效应；

S_l、S_n ——横向风振、顺风向风力的荷载效应；

T ——高耸结构的基本自振周期；

T_j ——构件 j 振型的自振周期；

V ——剪力；

V_{cr} ——临界风速；

V_e ——土体滑动面上剪切抗力的竖向分量之和；

V_l ——缀板的剪力；

V_1 ——分配到一个缀材面的剪力；

W ——截面抵抗矩；

W_n ——净截面抵抗矩；

W_x、W_y ——对 x、y 轴的截面抵抗矩；

W_1 ——毛截面抵抗矩。

（二）

a ——缀板中到中的距离、振动加速度、合力作用点至基础底面最大压力边的距离；

a_c ——圆（环）形基础的基底受压面宽度；

a_k ——构件截面几何参数；

a_x、a ——合力作用点至 e_x 一侧、e_y 一侧基础边的距离；

b ——基本裹冰厚度、平行于 x 轴的基础边长；

c ——凝聚力；

d ——直径；

d_e ——螺栓（螺纹处）的有效直径；

d_0 ——螺栓孔径；

e_{0k} ——轴向力对截面重心的偏心距（标准荷载作用时）；

f ——钢材、钢丝绳强度设计值；

f_c^b、f_t^b、f_v^b ——螺栓的抗压、抗拉、抗剪强度设计值；

f_c ——混凝土的抗压强度设计值；

f_{sE} ——地基抗震承载力设计值；

f_s ——钢筋强度设计值、地基承载力设计值；

f_{tk} ——混凝土抗拉强度标准值；

f_u ——钢材抗拉强度、钢丝绳的破坏强度；

f_y ——钢材屈服强度；

f_c^W、f_t^W、f_v^W ——对接焊缝的抗压、抗拉、抗剪强度设计值；

f_t^W ——角焊缝的（抗压、抗拉、抗剪）强度设计值；

h ——高度、截面高度；

h_{cr} ——临界深度；

h_t —— 角焊缝的焊脚尺寸；

h_i —— 计算截面 i 的高度、集中质点 i 的高度；

h_t —— 基础上拔深度；

i —— （塔筒）截面的回转半径；

l —— 长度；

l_0 —— 弹性支座间杆身计算长度；

l_w —— （角）焊缝的计算长度；

p —— 基础底面压力计算值；

p_m —— 基础底面的平均压力；

p_{max}、p_{min} —— 基础边缘最大、最小压力；

q —— 塔筒线分布重力；

$q_、q_1$ —— 单位面积上、单位长度上的裹冰重力荷载；

r_{co} —— 截面核心距（半径）；

r —— 至塔筒壁厚中线的半径；

$\dfrac{1}{r_c}$ —— 塔筒代表截面处的弯曲变形曲率；

s —— 基础沉降量；

t —— 连接件的厚度，筒壁厚度；

Δt —— 温度差；

u_i、u_i —— i、j 点的水平位移；

u_{ji} —— j 振型在 i 点处的相对位移；

v_{cr} —— 共振临界风速；

w —— 作用在高耸结构单位面积上的风荷载；

w_0 —— 基本风压值；

w_{lji} —— 横向共振引起的等效静风载。

（三）

α —— 角度、受压区的半角系数；

α_{cr} —— （计算裂缝宽度）与构件受力有关的特征系数；

α_E —— 钢筋和混凝土的弹性模量比值；

4

α_J ——相应于周期T_j的水平地震影响系数；

α_{max} ——水平地震影响系数的最大值；

$\alpha_{v\,max}$ ——竖向地震影响系数的最大值；

α_T ——钢筋混凝土的温度线膨胀系数；

α_t ——受拉钢筋的半角系数；

α_1 ——与直径有关的裹冰厚度修正系数；

α_2 ——裹冰厚度的高度递增系数；

β_z —— z高度处的风振系数；

β_0 ——风振系数动力部分的基本值；

β_{mx}、β_{tx} ——偏心受压时，弯矩作用平面内、平面外的等效弯矩系数；

γ ——裹冰重度；

γ_0 ——高耸结构重要性系数；

γ_{Eh}、γ_E ——水平、竖向地震作用的分项系数；

γ_G、γ_Q ——永久荷载、可变荷载的荷载分项系数；

γ_w ——抗震计算时风荷载分项系数；

γ_j —— j振型的参与系数；

γ_{RE} ——抗力抗震调整系数；

ε_1 ——风压脉动和高度变化等的影响系数；

ε_2 ——振型、结构外型的影响系数；

ξ ——结构阻尼比；

η ——风振系数（动力部分）基本值的调整系数；

θ ——孔洞的半角（弧度）；

λ ——构件长细比；

λ_0 ——弹性支承点之间杆身换算长细比；

μ ——地基的摩擦系数；

μ_1 ——横向力系数；

μ_r ——风压重现期调整系数；

μ_s ——风载体型系数；

μ_z —— z高度处风压高度变化系数；

ν ——计算裂缝宽度时与纵向受拉钢筋表面特征有关的系数；

ξ ——脉动增大系数、杆身刚度折减系数、受压区相对高度；

ρ ——纵向钢筋的配筋率；

ρ_e、ρ_1 ——外排、内排纵向钢筋的配筋率；

σ_c、σ'_c ——迎风面、背风面混凝土的压应力；

σ_s ——迎风面纵向钢筋的应力；

σ_{sc} ——在标准荷载以及温度作用下的纵向钢筋拉应力；

σ_{sT} ——温度作用下钢筋拉应力；

τ ——焊缝剪应力；

τ_x、τ_y ——垂直于焊缝长度方向、沿焊缝长度方向的焊缝应力；

φ ——轴心受压构件稳定系数；

ϕ ——截面受压区半角；

φ_b ——受弯构件的整件稳定系数；

ψ ——裂缝间纵向受拉钢筋应变不均匀系数、环形基础底板外形系数；

ψ_c ——可变荷载的组合值系数；

ψ_q ——可变荷载的准永久值系数；

ψ_w ——抗震计算时风荷载组合值系数；

ψ_1 ——钢丝绳扭纹强度调整系数；

ψ_2 ——钢丝强度不均匀系数；

ω ——塔筒水平截面的特征系数。

第一章 总 则

第 1.0.1 条 为了在高耸结构设计中做到技术先进，经济合理、安全适用、确保质量，特制订本规范。

第 1.0.2 条 本规范适用于钢及钢筋混凝土高耸结构，如电视塔、拉绳桅杆、发射塔、微波塔、石油化工塔、大气污染监测塔、烟囱、排气塔、水塔、矿井架等。

第 1.0.3 条 本规范是根据国家标准《建筑结构设计统一标准》GBJ68—84规定的原则制定的。符号、计量单位和基本术语是按现行国家标准《建筑结构设计通用符号、计量单位和基本术语》的有关规定采用。

第 1.0.4 条 设计高耸结构时，除遵照本规范的规定外，尚应符合现行国家标准《建筑结构荷载规范》、《钢结构设计规范》、《混凝土结构设计规范》、《地基基础设计规范》和《建筑抗震设计规范》等的有关规定。有关专业技术问题尚应符合各专业规范、规程的要求。

第 1.0.5 条 设计高耸结构和选择结构方案时，应同时考虑施工方法（包括运输、安装）以及建成后的环境影响，维护保养等问题。

第二章 基 本 规 定

第 2.0.1 条 本规范采用以概率论为基础的极限状态设计法，以可靠指标度量高耸结构的可靠度，以分项系数设计表达式进行计算。

第 2.0.2 条 极限状态分为下列两类：

一、承载能力极限状态。这种极限状态对应于结构或结构构件达到最大承载能力，或达到不适于继续承载的变形；

注：当考虑偶然事件时，应使主体承重结构不致丧失承载能力，允许局部破坏，但不致发生倒塌。

二、正常使用极限状态。这种极限状态对应于结构或结构构件达到正常使用或耐久性能的有关规定限值。

第 2.0.3 条 对于承载能力极限状态，高耸结构应根据其破坏后果（如危及人的生命安全、造成经济损失、产生社会影响等）的严重性按表2.0.3划分为两个安全等级。

高耸结构的安全等级　　　表 2.0.3

安 全 等 级	高耸结构类型	结构破坏后果
一 级	重要的高耸结构	很 严 重
二 级	一般的高耸结构	严 重

注：①对特殊的高耸结构，其安全等级可根据具体情况另行规定。

②结构构件的安全等级宜采用与整个结构相应的安全等级，对部分构件可按具体情况调整其安全等级。

第 2.0.4 条 对于承载能力极限状态，高耸结构构件应按荷载效应的基本组合和偶然组合进行设计。

一、基本组合应采用下列极限状态设计表达式：

$$\gamma_0(\gamma_G C_G G_k + \gamma_{Q1} C_{Q1} Q_{1k} + \sum_{i=2}^{n} \psi_{ci} \gamma_{Qi} C_{Qi} Q_{ik}) \leqslant R(\cdot)$$

（2.0.4）

式中　γ_0——高耸结构重要性系数，对安全等级为一级、二级的结构可分别采用1.1、1.0；

γ_G——永久荷载分项系数，一般情况可采用1.2，当永久荷载效应对结构构件的承载能力有利时可采用1.0；

γ_{Q1}、γ_{Qi}——第一个可变荷载、其它第 i 个可变荷载的分项系数，一般情况可采用1.4，但对安装检修荷载可采用1.3，对温度作用可采用1.0；

G_k——永久荷载的标准值；

Q_{1k}——第一个可变荷载的标准值，该可变荷载的效应大于其它任何第 i 个可变荷载的效应；

Q_{ik}——除第一个可变荷载外，其它任何第 i 个可变荷载的标准值；

C_G、C_{Q1}、C_{Qi}——永久荷载、第一个可变荷载和其他任何第 i 个可变荷载的荷载效应系数；

ψ_{ci}——除第一个可变荷载外，其它任何第 i 个可变荷载的组合值系数，根据不同的荷载组合按本章第 2.0.5 条规定采用；

$R(\cdot)$——结构构件的抗力函数。

二、偶然组合的极限状态设计表达式宜按下列原则确定：

1.只考虑一种偶然作用与其它可变荷载组合；

2.偶然作用的代表值不应乘分项系数；

3.与偶然作用同时出现的可变荷载可根据具体情况采用相应的代表值；

4.具体的设计表达式及各种系数值应按有关专业规范，规程的规定采用。

第 2.0.5 条　设计高耸结构时，对不同荷载基本组合，其可变荷载组合值系数应分别按表2.0.5采用；

可变荷载组合值系数　　　表2.0.5

荷载组合		可变荷载组合值系数				
		ψ_{cW}	ψ_{cI}	ψ_{cA}	ψ_{cT}	ψ_{cL}
I	$G+W+L$	1.0	—	—	—	0.7
II	$G+I+W+L$	0.25	1.0	—	—	0.7
III	$G+A+W+L$	0.25	—	1.0	—	0.7
IV	$G+T+W+L$	0.25	—	—	1.0	0.7

注：①G表示结构构件 自重等永久 荷载，W、A、I、T、L分别表示风荷载、
　　安装检修荷载、裹冰荷载、温度作用和塔楼楼面或平台的活荷载。
　　②对于带塔楼或平台的 高耸结构，需要考虑雪 荷载组合时，在组合 I 、 II 、
　　 III 、 IV 中，雪的组合值系数ψ_{cs}均取0.5。
　　③组合 I 中，当基本风压值w_0小于$0.3kN/m^2$，w_0采用$0.3kN/m^2$
　　④在组合 II 、 III 、 IV 中，当$\psi_{cW} \cdot w_0$小于$0.15kN/m^2$时，$\psi_{Wc} \cdot w_0$应采 用
　　$0.15kN/m^2$。

第 2.0.6 条　高耸结构抗震计算时基本组合应采用下 列 极
限状态设计表达式：

$$\gamma_G C_G G_E + \gamma_{Eh} C_{Eh} E_{hk} + \gamma_{Ev} C_{Ev} E_{vk} + \psi_W \gamma_W C_W W_k \leqslant R/\gamma_{RE}$$

$$（2.0.6）$$

式中　γ_G——重力荷载分项系数，一般情况应取1.2，当重 力 效
　　　　　应对构件承载能力有利时宜取1.0；

　　　γ_{Eh}、γ_{Ev}——水平、竖向地震作用分项系数，应按表2.0.6的规
　　　　　定采用；

地震作用分项系数　　　表2.0.6

考虑地震作用的情况	γ_{Eh}	γ_{Ev}
仅考虑水平地震作用	1.3	不考虑
仅考虑竖向地震作用	不考虑	1.3
同时考虑水平与竖向地震作用	1.3	0.5

　　　γ_W——风荷载分项系数，应取1.4；

　　　G_E——重力代表值，可按本规范第3.4.6条采用；

E_{hk}——水平地震作用标准值；

E_{vk}——竖向地震作用标准值；

W_k——风荷载标准值；

ψ_w——抗震基本组合中的风荷载组合值系数，可取0.2；

C_G、C_{Eh}、C_{Ev}、C_W——有关各类荷载与作用的作用效应系数，并应乘以国家标准《建筑抗震设计规范》GBJ11—89中规定的效应增大系数或调整系数；

R——抗力，按本规范各章的有关规定计算；

γ_{RE}——抗力抗震调整系数，对钢及钢筋混凝土高耸结构均取0.8，对焊缝取1.0。

第 2.0.7 条 对于正常使用极限状态，应根据不同的设计目的，分别按荷载效应的短期组合和长期组合进行计算，其变形、裂缝等计算值不应超过相应的规定限值。

一、短期效应组合

$$C_G G_k + C_{Q1} Q_{1k} + \sum_{i=2}^{n} \psi_{ci} C_{Qi} Q_{ik} \qquad （2.0.7\text{-}1）$$

二、长期效应组合

$$C_G G_k + \sum_{i=1}^{n} \psi_{qi} C_{Qi} Q_{ik} \qquad （2.0.7\text{-}2）$$

式中 ψ_{ci}——短期效应组合时，除第一个可变荷载外，其它任何第i个可变荷载的组合值系数；

ψ_{qi}——长期效应组合时，任何第i个可变荷载的准永久值系数。

第 2.0.8 条 高耸结构正常使用极限状态的控制条件应符合下列规定：

一、在风荷载（标准值）作用下，高耸结构任意点的水平位移不得大于该点离地高度的1/100。对桅杆结构，注意层间的相对水平位移，尚不得大于该层间高度的1/100。

二、对于装有方向性较强（如电视塔、微波塔）或工艺要求较严格的设备（如石油化工塔）的高耸结构，在不均匀日照温度或风荷载（标准值）作用下，在设备所在位置处的塔身转角，应满足工艺要求。

三、在风荷载的动力作用下，设有游览设施的塔，在游览设施所在位置处的塔身振动加速度及水平振幅应满足正常使用要求。

四、在各种荷载标准值组合作用下，钢筋混凝土构件的最大裂缝宽度不应大于0.2mm。

注：上述控制条件适用于一般情况，当有其它特殊要求时可按各专业规范 规 程的规定采用。

第三章 荷 载

第一节 荷 载 分 类

第 3.1.1 条 高耸结构上的荷载可分为下列三类：

一、永久荷载：结构自重、固定的设备重、物料重、土重、土压力、线的拉力等；

二、可变荷载：风荷载、裹冰荷载、地震作用、雪荷载、安装检修荷载、塔楼楼面或平台的活荷载、温度变化、地基沉陷等；

三、偶然荷载：导线断线等。

注：地震设防烈度≤6度时，地震作用可作为偶然荷载。

第 3.1.2 条 本规范仅列出风荷载、裹冰荷载及地震作用的标准值，其它荷载应按现行国家标准《建筑结构荷载规范》的规定采用。

第二节 风 荷 载

第 3.2.1 条 作用在高耸结构单位面积上的风荷载应按下式计算：

$$w = \beta_z \mu_s \mu_z \mu_r w_0 \qquad (3.2.1)$$

式中 w ——作用在高耸结构单位面积上的风荷载（kN/m^2）；

w_0 ——基本风压（kN/m^2）应按本章第3.2.2条、第3.2.3条和第3.2.4条的规定采用；

μ_r ——重现期调整系数，对一般高耸结构可采用1.1，对重要的高耸结构可采用1.2；

μ_z ——z高度处的风压高度变化系数，应按本章第3.2.5条的规定采用；

μ_s——风荷载体型系数，可按本章第3.2.6条的规定采用；

β_z——z高度处的风振系数，可按本章第3.2.7条至第3.2.10条的规定采用。

第3.2.2条 基本风压w_0系以当地比较空旷平坦地面、离地10m高、统计30年一遇的10min平均最大风速为标准，其值应按现行国家标准《建筑结构荷载规范》的规定采用，但对高耸结构不得小于0.30kN/m²。

第3.2.3条 山区及偏僻地区的基本风压应通过实地调查和对比观察经分析确定。一般情况可按附近地区的基本风压乘以下列调整系数采用：

山间盆地、谷地等闭塞地形	0.75～0.85
与风向一致的谷口、山口	1.2 ～1.5

注：山顶或山坡的基本风压可根据山麓基本风压近似地按高度变化规律推算。

第3.2.4条 沿海海面和海岛的基本风压，当缺乏实际资料时，可按邻近陆上基本风压乘以表3.2.4规定的调整系数采用：

海面和海岛基本风压调整系数　　　　表3.2.4

海面和海岛距海岸距离（km）	调 整 系 数
＜40	1.0
40～60	1.0～1.1
60～100	1.1～1.2

第3.2.5条 风压随高度的变化规律与地面粗糙度有关，地面粗糙度可分为下列三类：

A类指近海海面、小岛及大沙漠等；

B类指田野、乡村、丛林、丘陵以及房屋比较稀疏的中、小城镇和大城市的郊区；

C 类指有密集建筑群和较多高层建筑的大城市市区。

对 A、B、C 三类不同地面粗糙度，其风压高度变化系数 μ_z 可按表3.2.5的规定采用：

风压高度变化系数 μ_z　　　　　表 3.2.5

离地面或海面高度(m)	地面粗糙度类别		
	A	B	C
5	1.17	0.80	0.54
10	1.38	1.00	0.71
15	1.52	1.14	0.84
20	1.63	1.25	0.94
30	1.80	1.42	1.11
40	1.92	1.56	1.24
50	2.03	1.67	1.36
60	2.12	1.77	1.46
70	2.20	1.86	1.55
80	2.27	1.95	1.64
90	2.34	2.02	1.72
100	2.40	2.09	1.79
150	2.64	2.38	2.11
200	2.83	2.61	2.36
250	2.99	2.80	2.58
300	3.12	2.97	2.78
350	3.12	3.12	2.96
≥400	3.12	3.12	3.12

第 3.2.6 条　高耸结构的风荷载体型系数 μ_s 可按表3.2.6的规定采用。

项次	结构类型	结构体型及体型系数 μ_s				

整 体 体 型 系 数 μ_s 值

截 面		风 向	H/d		
			25	7	1
正 方 形		垂直于一边	2	1.4	1.3
		沿对角线	1.5	1.1	1.0
正六及正八边形		任 意	1.4	1.2	1.0
圆 形	粗 糙	任 意	0.9	0.8	0.7
	光 滑		0.55	0.5	0.45

项次 1　结构类型 悬臂结构

注：①表中圆形结构的 μ_s 值适用于 $w_0 d^2 \geqslant 0.015$ 的情况。d 以 m 计，w_0 为基本风压，以 kN/m^2 计。

②表中"光滑"系指钢、钢筋混凝土等圆形结构的表面情况，"粗糙"系指结构表面有凸出肋条的情况。

2	型钢及组合型钢构件	$\mu_s = 1.3$

项次	结构类型	结 构 体 型 及 体 型 系 数 μ_s

(a)角钢塔架的整体体型系数μ_s值

ϕ	方 形			三 角 形
	风 向 ①	风 向 ②		任 意 风 向
		单 角 钢	组合角钢	③ ④ ⑤
≤0.1	2.6	2.9	3.1	2.4
0.2	2.4	2.7	2.9	2.2
0.3	2.2	2.4	2.7	2.0
0.4	2.0	2.2	2.4	1.8
≤0.5	1.8	1.9	2.0	1.6

注：①挡风系数 $\phi = \dfrac{迎风面挡风面积}{迎风面轮廓面积}$，均按塔架迎风面的一个塔面计算。

②六边形及八边形塔架的μ_s值，可近似地按上表方形塔架参照对应的风向①或②采用。

(b)管子及圆钢塔架的整体体型系数μ_s值

当$w_0 d^2 \leq 0.002$时，μ_s值按角钢塔架的μ_s值乘0.8采用；

当$w_0 d^2 \geq 0.015$时，μ_s值按角钢塔架的μ_s值乘0.6采用；

当$0.02 < w_0 d^2 < 0.015$时，μ_s值按插入法计算。

项次：3　结构类型：塔架

17

项次	结构类型	结 构 体 型 及 体 型 系 数 μ_s

(a)矩形横梁

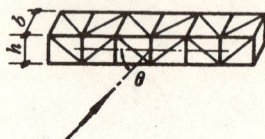

$$\phi = \frac{横梁正面挡风面积}{横梁正面轮廓面积}$$

1.当风向垂直于横梁($\theta = 90°$)时，横梁的整体体型系数μ_s值

ϕ	b/h			
	$\leqslant 1$	2	4	$\geqslant 6$
$\leqslant 0.1$	2.6	2.6	2.6	2.6
0.2	2.4	2.5	2.6	2.6
0.3	2.2	2.3	2.3	2.4
0.4	2.0	2.1	2.2	2.3
$\geqslant 0.5$	1.8	1.9	2.0	2.1

2.当风向不与横梁垂直时，横梁的整体体型系数μ_s值

θ	μ_{sn}	μ_{sP}
90°	$1.0\mu_s$	0
45°	$0.5\mu_s$	$0.21\mu_s$
0°	0	$0.40\mu_s$

项次4　格构式横梁

注：①上表μ_{sn}、μ_{sp}分别为垂直和平行于横梁的体型系数分量。

②上表μ_s为风向垂直于横梁时的整体体型系数。

③计算μ_{sn}及μ_{sp}时，均以横梁正面面积为准。

(b)三角形横梁的整体体型系数可按矩形横梁的值乘以0.9采用。

(c)管子及圆钢组成的横梁可参照项次3(b)的方法计算整体体型系数μ_s值。

18

项次	结构类型	结 构 体 型 及 体 型 系 数 μ_s
5	架空线、悬索、管材 等	当$w_0 d^2 \leqslant 0.002$时，$\mu_{sn} = 1.2\sin^2\theta$； 当$w_0 d^2 \geqslant 0.015$时，$\mu_{sn} = 0.7\sin^2\theta$ 注：μ_{sn}为垂直于管线的分量，平行于管线的分量μ_{sp}较小，可不计。
6	架空管道	(a)上下双管 整体体型系数μ_s值 表格见下

(a) 整体体型系数 μ_s 值

s/d	$\leqslant 0.25$	0.5	0.75	1.0	1.5	2.0	$\geqslant 3.0$
μ_s	1.40	1.05	0.88	0.82	0.76	0.73	0.70

注：表中μ_s值适用于$w_0 d^2 \geqslant 0.015$的情况。

(b)前后双管

整体体型系数μ_s值

s/d	$\leqslant 0.5$	1.0	1.5	3	4	7	$\geqslant 10$
μ_s	0.79	1.00	1.10	1.15	1.26	1.33	1.4

注：表中μ_s值适用于$w_0 d^2 \geqslant 0.015$的情况，并为前后两管的系数之和。

项次	结构类型	结 构 体 型 及 体 型 系 数 μ_s

| 7 | 倒锥形水塔的水箱，绝缘子 | |

$\mu_s=0.1$　　　　　　$\mu_s=1.2$

(a)倒锥形水塔的水箱　　　　　(b)绝缘子

| 8 | 微波天线 | |

水平剖面

θ — 水平角

整体体型系数 μ_s 值

θ	0°	30°	50°	90°	120°	150°	180°
垂直于天线面的分量 μ_{sn}	1.3	1.4	1.7	0.15	0.35	0.6	0.8
平行于天线面的分量 μ_{sv}	0	0.05	0.06	0.19	0.22	0.17	0

| 9 | 石油化工塔型设备 | |

整体体型系数 μ_s 值

平台类型	塔型设备直径(m)						
	≤0.6	1.0	2.0	3.0	4.0	5.0	≥6.0
独立平台（带直梯）	1.13	1.04	0.96	0.92	0.91	0.90	0.89
独立平台联合平台（不带斜梯）	1.34	1.17	1.03	0.97	0.94	0.92	0.91
独立平台联合平台（带斜梯）	1.60	1.34	1.13	1.04	1.00	0.97	0.94

注：表中 μ_s 值适用于包括了平台、扶梯等影响的单个塔型设备，计算风荷载时其挡风面积可仅取塔型设备的直径。

20

第 3.2.7 条 高耸结构应考虑由脉动风引起的风振影响，当结构的基本自振周期小于0.25s时，可不考虑风振影响。

注：高耸结构计算风振时的基本自振周期可按现行国家标准《建筑结构荷载规范》的规定计算。

第 3.2.8 条 自立式高耸结构在 z 高度处的风振系数 β_z 可按下式确定：

$$\beta_z = 1 + \xi \cdot \varepsilon_1 \cdot \varepsilon_2 \qquad (3.2.8)$$

式中　ξ——脉动增大系数，按表3.2.8-1采用；

ε_1——风压脉动和风压高度变化等的影响系数，按表3.2.8-2采用。

ε_2——振型、结构外形的影响系数，按表3.2.8-3采用。

注：对于上部用钢材、下部用钢筋混凝土的结构，可近似地分别根据钢和钢筋混凝土由表3.2.8-1查取相应的 ξ 值，并计算各自的风振系数。

脉 动 增 大 系 数 ξ　表 3.2.8-1

$w_0 T^2$ (kN·s²/m²)	结　构　类　别	
	钢　结　构	钢筋混凝土结构
0.01	1.47	1.11
0.05	1.73	1.18
0.10	1.88	1.23
0.20	2.04	1.28
0.40	2.24	1.34
0.60	2.36	1.38
0.80	2.46	1.42
1.00	2.53	1.44
2.00	2.80	1.54
4.00	3.09	1.65
6.00	3.28	1.72
8.00	3.42	1.77
10.00	3.54	1.82
20.00	3.91	1.96
30.00	4.14	2.06

注：对于 $H \geqslant 200\text{m}$ 的钢筋混凝土筒体，上表脉动增大系数 ξ 值可乘以1.1采用。

风压脉动和风压高度变化等的影响系数e_1　　表 3.2.8-2

总高度H（m）	地　面　粗　糙　度　类　别		
	A	B	C
10	0.57	0.72	0.93
20	0.51	0.63	0.79
40	0.45	0.55	0.69
60	0.42	0.50	0.59
80	0.39	0.45	0.54
100	0.37	0.43	0.50
150	0.33	0.37	0.43
200	0.30	0.34	0.38
250	0.27	0.31	0.34
300	0.25	0.28	0.31
350	0.25	0.27	0.29
≥400	0.25	0.27	0.27

振型、结构外形的影响系数e_2　　表 3.2.8-3

相对高度h/H	结　构　顶　部　和　底　部　的　宽　度　比				
	1.0	0.5	0.3	0.2	0.1
1.0	1.00	0.88	0.76	0.66	0.56
0.9	0.89	0.83	0.73(0.79)	0.65(0.76)	0.57(0.84)
0.8	0.78	0.76	0.67(0.77)	0.61(0.78)	0.57(0.96)
0.7	0.66	0.66	0.60(0.70)	0.55(0.73)	0.54(0.94)
0.6	0.54	0.56	0.51(0.60)	0.48(0.64)	0.49(0.84)
0.5	0.42	0.44	0.41(0.48)	0.40(0.51)	0.42(0.69)
0.4	0.31	0.32	0.31(0.35)	0.30(0.38)	0.34(0.52)
0.3	0.20	0.22	0.22	0.21(0.25)	0.27(0.38)
0.2	0.11	0.11	0.12	0.13	0.15(0.19)
0.1	0.04	0.04	0.04	0.05	0.06

注: 表中有括弧处，括弧内的数值适用于直线变化的结构；括弧外的数值适用于凹线形变化的结构。其余无括弧的数值则二者均适用。

　　第 3.2.9 条　对于外形比较规则，顶宽与底宽之比在0.15～0.4之间的钢塔，如微波塔和电视调频塔，其风振系数亦可按下列确定：

$$\beta_z = 1 + \eta\beta_0 \qquad (3.2.9)$$

式中 β_0——风振系数动力部分的基本值，按表3.2.9-1采用；

η——调整系数，按表3.2.9-2采用。

钢塔风振系数动力部分基本值β_0 表 3.2.9-1

相对高度 h/H	地 面 粗 糙 度 类 别		
	A	B	C
1.0	0.90	1.20	1.40
0.9	0.75	0.90	1.20
0.8	0.60	0.75	1.00
0.7	0.50	0.65	0.90
0.6	0.40	0.55	0.75
0.5	0.30	0.40	0.60
0.4	0.20	0.30	0.45
0.3	0.15	0.20	0.30
0.2	0.10	0.10	0.15
0.1	0.10	0.10	0.10

调 整 系 数 η 表 3.2.9-2

H/T	30	40	50	60	70	80
η	1.25	1.20	1.10	1.05	1.00	0.98

H/T	90	100	110	120	130	140
η	0.95	0.90	0.90	0.85	0.80	0.80

注：表中H为高耸结构总高，以m计；T为结构基本自振周期。

第 3.2.10 条 拉绳钢桅杆的风振系数β可按表3.2.10采用。

多层拉绳钢桅杆风振系数β 表 3.2.10

部 位	地 面 粗 糙 度 类 别		
	A	B	C
悬臂端	1.8	2.1	2.4
其它部位	1.5	1.7	2.0

注：拉绳、悬索等的风振系数β可取1.5。

第 3.2.11 条 竖向斜率小于 $\dfrac{2}{100}$ 的圆筒形塔及烟囱等圆截面结构和圆管、拉绳及悬索等圆截面构件应考虑由脉动风引起的垂直于风向的横向共振，并应按下列公式计算结构或构件的雷诺 Re 数：

$$Re = 69000 v_{cr} d \qquad (3.2.11\text{-}1)$$

$$v_{cr} = \frac{5d}{T_j} \qquad (3.2.11\text{-}2)$$

式中　　v_{cr}——临界风速（m/s）；

d——结构或构件的直径（m）；

T_j——结构或构件的 j 振型的自振周期（s）。

第 3.2.12 条 圆形截面结构或构件的横向共振应根据其雷诺数按下列规定处理：

一、当雷诺数 $Re < 3 \times 10^5$ 时，可能发生微风共振（亚临界范围的共振），此时应在构造上采取防振措施或控制结构的临界风速 v_{cr} 不小于 15m/s，以降低微风共振的发生率。

二、当雷诺数 $Re \geqslant 3.5 \times 10^6$ 时，可能发生横向共振（跨临界范围的共振），此时应验算横向共振。横向共振引起的等效静风荷载 w_{1ji}（kN/m）应按下式计算：

$$w_{1ji} = \frac{u_{ji} \mu_1 v_{cr}^2 d}{2000 \zeta} \qquad (3.2.12\text{-}3)$$

式中　　u_{ji}——j 振型在 i 点的相对位移；

v_{cr}——j 振型的共振临界风速（m/s），按公式（3.2.11-2）计算；

d——圆筒形结构的外径（m），有锥度时可取 $\dfrac{2}{3}$ 高度处的外径；

ζ——结构阻尼比，钢结构取 0.01，钢筋混凝土结构取 0.05；

μ_1——横向力系数，取 0.25。

注：①悬臂结构可只考虑第一振型；多层拉绳桅杆 根据情况可考虑的振型数目不大于 4。

考虑横向风振时，风荷载的总效应 S（内力、变形等）可由横向风振的效应 S_n 和顺风向风荷载的效应 S_l 按 $S = \sqrt{S_n^2 + S_l^2}$ 组合而成。此时顺风向风荷载取按相应于临界风速计算的风荷载。

三、当雷诺数为 $3 \times 10^5 \leqslant Re < 3.5 \times 10^6$ 时，则可能发生超临界范围的共振，此时可按第一款的规定处理。

第三节 裹 冰 荷 载

第 3.3.1 条 设计电视塔、无线电塔桅等类似结构时，应考虑结构构件、架空线、拉绳表面裹冰后所引起的荷载及挡风面积增大的影响。

第 3.3.2 条 基本裹冰厚度应根据当地离地 10m 高度处的观测资料，取统计 50 年一遇的最大裹冰厚度为标准。当无观测资料时，应通过实地调查确定，或按下列经验数值分析采用：

一、重裹冰区：川东北、川滇、秦岭、湘黔、闽赣等地区，基本裹冰厚度可取 10～20mm；

二、轻裹冰区：东北（部分）、华北（部分）、淮河流域等地区，基本裹冰厚度可取 5～10mm。

注：裹冰还会受地形和局地气候的影响，因此轻裹冰区内可能出现个别地点的重裹冰或无裹冰的情况，同样，重裹冰区内也可能出现个别地点的轻裹冰或超裹冰的情况。

第 3.3.3 条 管线及结构构件上的裹冰荷载的计算应符合下列规定：

一、圆截面的构件、拉绳、缆索、架空线等每单位长度上的裹冰荷载可按下式计算：

$$q_1 = \pi b \alpha_1 \alpha_2 (d + b \alpha_1 \alpha_2) \gamma \cdot 10^{-6} \qquad （3.3.3-1）$$

式中： q_1 ——单位长度上的裹冰荷载（kN/m）；

b ——基本裹冰厚度（mm），按本章第 3.3.2 条的规定采用；

d ——圆截面构件、拉绳、缆索、架空线的直径（mm）；

α_1 ——与构件直径有关的裹冰厚度修正系数，按表 3.3.3-1 采用；

α_2——裹冰厚度的高度递增系数，按表3.3.3-2采用；

γ——裹冰重度，一般取$9kN/m^3$。

二、非圆截面的其它构件每单位表面面积上的裹冰荷载q_a（kN/m^2）可按下式计算：

$$q_a = 0.6b\alpha_2\gamma \cdot 10^{-3} \qquad (3.3.3-2)$$

式中 q_a——单位面积上的裹冰荷载（kN/m^2）；

与构件直径有关的裹冰厚度修正系数α_1　　　表 3.3.3-1

直　径 （mm）	5	10	20	30	40	50	60	70
α_1	1.1	1.0	0.9	0.8	0.75	0.7	0.63	0.6

裹冰厚度的高度递增系数α_2　　　表 3.3.3-2

离地面高度 （m）	10	50	100	150	200	250	300	≥350
α_2	1.0	1.6	2.0	2.2	2.4	2.6	2.7	2.8

第四节　地震作用和抗震验算

第 3.4.1 条　本节规定适用于地震设防烈度为6度至9度地区的高耸结构的抗震设计。

对烈度为6度和7度的高耸结构可仅考虑水平地震作用；对烈度为8度和9度的高耸结构，应同时考虑上下两个方向竖向地震作用和水平地震作用的不利组合。

第 3.4.2 条　下列高耸结构可以不进行截面抗震验算，而仅需满足抗震构造要求：

一、6度、任何类场地的高耸结构及其地基基础；

二、小于或等于8度Ⅰ、Ⅱ类场地的不带塔楼的钢塔架，钢桅杆及其地基基础；

三、7度Ⅰ、Ⅱ类场地，基本风压$w_0 \geqslant 0.4kN/m^2$；7度Ⅲ、Ⅳ类场地和8度Ⅰ、Ⅱ类场地，且基本风压$w_0 \geqslant 0.7kN/m^2$

的钢筋混凝土高耸筒体结构及其地基基础。

注：建筑场地类别的划分应按现行国家标准《建筑抗震设计规范》的规定执行。

第 3.4.3 条 高耸结构的地震作用计算宜采用反应谱振型分析法。对于特别重要的高耸结构可采用时程分析法作比较计算。对于圆筒形结构、烟囱、水塔等亦可采用底部剪力法和近似简化法。

第 3.4.4 条 高耸结构采用振型分解反应谱法计算地震作用时，j 振型 i 质点的水平地震作用标准值 F_{ji} 应按下式计算（图 3.4.4）：

$$F_{ji} = a_j \gamma_j u_{ji} G_i \quad \begin{pmatrix} i = 1, 2, \cdots\cdots n \\ j = 1, 2, \cdots\cdots m \end{pmatrix}$$

$$（3.4.4\text{-}1）$$

$$\gamma_j = \frac{\sum_{i=1}^{n} u_{ji} G_i}{\sum_{i=1}^{n} u_{ji}^2 G_i} \quad （3.4.4\text{-}2）$$

水平地震作用产生的总作用效应 S 可按下式计算：

$$S = \sqrt{\sum_{j=1}^{m} S_j^2} \quad （3.4.4\text{-}3）$$

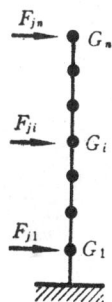

图 3.4.4 水平地震
计算简图

式中 F_{ji} ——j 振型 i 质点的水平地震作用标准值；

　　　a_j ——相应于 j 振型自振周期 T_j 的水平地震影响系数，按现行国家标准《建筑抗震设计规范》确定；

　　　u_{ji} ——j 振型 i 质点的水平相对位移；

　　　G_i ——集中于 i 质点的重力荷载代表值，按本章第 3.4.6 条采用；

　　　γ_j ——j 振型的参与系数；

　　　S_j ——j 振型水平地震作用产生的作用效应（弯矩、剪力、轴力和变形等）；振型数 m 可取 2～3，当周期 T_1 大于 1.5s 时可适当增加。

第 3.4.5 条 高耸结构竖向地震计算应符合下列规定（图

3.4.5）。

结构底部总竖向地震作用标准值F_{Ev}应按下式计算：

$$F_{Ev} = \alpha_{v,max} G_{eq} \qquad (3.4.5\text{-}1)$$

质点i的竖向地震作用标准值F_{vi}应按下式计算：

$$F_{vi} = \frac{G_i h_i}{\Sigma G_i h_i} F_{Ev} \qquad (3.4.5\text{-}2)$$

式中 $\alpha_{v,max}$ —— 竖向地震影响系数的最大值，可取水平地震影响系数最大值α_{max}的65%；

     G_{eq} —— 结构等效总重力荷载，取$0.75G_E$；

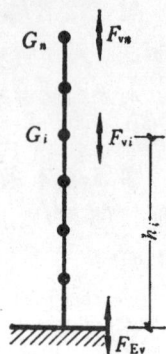

图 3.4.5 竖向地震计算简图

     G_E —— 计算地震作用时结构的总重力荷载代表值，按

$$G_E = \sum_{j=1}^{n} G_j \text{计算；}$$

     G_i、G_j —— 集中于质点i、j的重力荷载代表值；

     h_i、h_j —— 集中质点i、j的高度。

注：建筑结构的（水平）地震影响系数α及其最大值α_{max}应按现行国家标准《建筑抗震设计规范》的规定采用。

第3.4.6条 高耸结构抗震验算时，其重力代表值应取结构自重和各竖向可变荷载的组合值之和。结构自重和各竖向可变荷载的组合值系数应按下列规定采用：

一、对结构自重（结构构配件自重、固定设备重等）取1.0；

二、对设备内的物料重取1.0，对特殊情况可按有关专业规范规程采用；

三、对升降机、电梯的自重取1.0，对吊重取0.3；

四、对塔楼楼面和平台的等效均布荷载取0.5，按实际情况考虑时取1.0；

五、对塔楼顶的雪荷载取0.5。

第四章 钢塔架和桅杆结构

第一节 一 般 规 定

第 4.1.1 条 钢塔架和桅杆结构(以下简称钢塔桅结构)选用的钢材材质应符合现行国家标准《钢结构设计规范》的要求，在低温条件下，或腐蚀环境中尚应考虑冷脆及腐蚀等影响。

第 4.1.2 条 钢塔桅结构的钢材及连接的强度设计值应按本规范附录一的规定采用。

注：钢丝绳的破坏强度可按现行国家有关标准的规定采用。

第二节 钢塔桅结构的内力分析

第 4.2.1 条 当进行塔架内力分析时，可将整个结构或分层作为空间桁架计算。

第 4.2.2 条 桅杆杆身可按纤绳节点处为弹性支承的连续压弯杆件计算，并应考虑纤绳节点处的偏心弯矩。

当桅杆杆身为格构式时，其刚度应乘以折减系数 ξ。折减系数可按下式确定：

$$\xi = \left(\frac{l_0}{i\lambda_0}\right)^2 \qquad (4.2.2)$$

式中 l_0——弹性支承点之间杆身计算长度（m）；

  i——杆身截面回转半径（m）；

  λ_0——弹性支承点之间杆身换算长细比，按本章表4.5.5 计算。

第三节 钢塔桅结构的变形和整体稳定

第 4.3.1 条 钢塔桅结构应进行变形验算，并应满足本规范第2.0.8条的控制条件。

第 4.3.2 条 桅杆整体稳定安全系数不应低于2.0。对于纤绳上有绝缘子的桅杆，应验算绝缘子破坏后的受力情况，此时可假定纤绳初应力值降低20%，桅杆整体稳定安全系数不应低于1.6。

第四节 纤　　绳

第 4.4.1 条 桅杆纤绳可按一端连接于杆身的抛物线计算。纤绳上有集中荷载时，可将集中荷载换算成均布荷载。

第 4.4.2 条 纤绳的初应力应综合考虑桅杆变形、杆身的内力和稳定以及纤绳承载力等因素确定,宜在$0.10 \sim 0.25 kN/mm^2$范围内选用。

第 4.4.3 条 纤绳的截面强度应按下式验算：

$$\frac{N}{A} \leqslant f \tag{4.4.1}$$

$$f = (\psi_1 \cdot \psi_2) f_u \tag{4.4.2}$$

式中　N——纤绳拉力（N）；

　　　A——纤绳的钢丝绳截面面积（mm^2）；

　　　f——钢丝绳强度设计值（N/mm^2）；

　　　f_u——钢丝绳的破坏强度（N/mm^2），按国家现行有关标准采用；

　　　ψ_1——钢丝绳扭绞强度调整系数。根据钢丝绳规格按国家现行有关标准取$0.8 \sim 0.9$；

　　　ψ_2——钢丝绳的强度不均匀系数，对1×7单股钢丝绳取0.65，其它钢丝绳取0.56。

第五节　轴心受拉和轴心受压构件

第 4.5.1 条 轴心受拉和轴心受压构件的截面强度应按下式验算：

$$\frac{N}{A_n} \leqslant f \tag{4.5.1}$$

式中　N——轴心拉力或轴心压力；

A_n——净截面面积；

f——钢材的强度设计值（N/mm²），按本规范附录一采用。

第 4.5.2 条 轴心受压构件的稳定性应按下式验算：

$$\frac{N}{\varphi A} \leqslant f \tag{4.5.2}$$

式中　A——构件毛截面面积；

φ——轴心受压构件稳定系数，可根据构件长细比 λ 按本规范附录二采用。

第 4.5.3 条 钢塔桅结构的构件长细比 λ 应符合下列规定：

一、弦杆长细比 λ 按表4.5.3-1采用。

二、斜杆长细比 λ 按表4.5.3-2采用。

三、横杆和横膈长细比 λ 按表4.5.3-3采用。

塔架和桅杆的弦杆长细比 λ 　　　　表 4.5.3-1

弦杆形式	二塔面斜杆交点错开	二塔面斜杆交点不错开
简图		
长细比	$\lambda = \dfrac{1.2l}{i_x}$	$\lambda = \dfrac{l}{i_{y0}}$
符号说明		i_x—单角钢截面对平行肢轴的回转半径 i_{y0}—单角钢截面的最小回转半径 l—节间长度

塔架和桅杆的斜杆长细比 λ

表 4.5.3-2

斜杆形式	单斜杆	双斜杆	双斜杆加辅助杆	
简图				
长细比	$\lambda = \dfrac{l}{i_{y0}}$	当斜杆不断开又互相不连结时: $\lambda = \dfrac{l}{i_{y0}}$ 当斜杆断开时: $\lambda = \dfrac{0.71\,l}{i_{y0}}$	当 A 点与相邻塔面的对应点之间有连结时: $\lambda = \dfrac{l_1}{i_{y0}}$ 其中两斜杆同时受压时, $\lambda = \dfrac{1.25\,l}{i_s}$ 当 A 点与相邻塔面的对应点之间无连结时: $\lambda = \dfrac{l}{i_s}$	斜杆不断开又互相连结时: $\lambda = \dfrac{l_1}{i_s}$

塔架和桅杆的横杆及横隔长细比λ　　　　表 4.5.3-3

简　图	截面形式	横　　杆	横　　隔
		当有连杆a时： $\lambda = \dfrac{l_1}{i_x}$ 当无连杆a时： $\lambda = \dfrac{l_1}{i_{y0}}$	$\lambda = \dfrac{l_2}{i_{y0}}$
		当有连杆a时： $\lambda = \dfrac{l_1}{i_x}$ 当无连杆a时： $\lambda = \dfrac{l_1}{i_{y0}}$	当一根交叉杆断开，用节点板连接时： $\lambda = \dfrac{1.4l_2}{i_{y0}}$
		当有连杆a时： $\lambda = \dfrac{l_1}{i_{y0}}$ 当无连杆a时： $\lambda = \dfrac{2l_1}{i_x}$	$\lambda = \dfrac{l_2}{i_{y0}}$
		当有连杆a时： $\lambda = \dfrac{l_1}{2i_{y0}}$ 当无连杆a时： $\lambda = \dfrac{l_1}{i_x}$	$\lambda = -\dfrac{l_2}{i_{y0}}$

第 4.5.4 条 构件的长细比 λ 不应超过下列规定：

受压弦杆、斜杆、横杆	150
辅助杆、横膈杆	200
受拉杆	350

预应力拉杆长细比不限。

桅杆两相邻纤绳结点间杆身长细比宜符合下列规定：

格构式桅杆（换算长细比）	100
实腹式桅杆	150

第 4.5.5 条 格构式轴心受压构件的稳定性应按公式（4.5.2）验算。此时对虚轴长细比应采用换算长细比 λ_0，λ_0 应按表4.5.5计算。

格构式构件换算长细比 λ_0 表 4.5.5

构件截面形式	缀材	计 算 公 式	符 号 说 明
四边形截面 	缀板	$\lambda_{0x} = \sqrt{\lambda_x^2 + \lambda_1^2}$ $\lambda_{0y} = \sqrt{\lambda_y^2 + \lambda_1^2}$	λ_x、λ_y——整个构件对 x-x 轴或 y-y 轴的长细比 λ_1——单肢对最小刚度轴 1-1的长细比
	缀条	$\lambda_{0x} = \sqrt{\lambda_x^2 + 40\dfrac{A}{A_{1x}}}$ $\lambda_{0y} = \sqrt{\lambda_y^2 + 40\dfrac{A}{A_{1y}}}$	A_{1x}、A_{1y}——构件截面中垂直于 x-x 轴或 y-y 轴各斜缀条毛截面面积之和
等边三角形截面 	缀板	$\lambda_{0x} = \sqrt{\lambda_x^2 + \lambda_1^2}$ $\lambda_{0y} = \sqrt{\lambda_y^2 + \lambda_1^2}$	λ_1——单肢长细比
	缀条	$\lambda_{0x} = \sqrt{\lambda_x^2 + 56\dfrac{A}{A_1}}$ $\lambda_{0y} = \sqrt{\lambda_y^2 + 56\dfrac{A}{A_1}}$	A_1——构件截面中各斜缀条毛截面面积之和

注：① 缀板式构件的单肢长细比 λ_1 不应大于40。
　　② 斜缀条与构件轴线间的倾角应保持在40°～70°范围内。

第六节　偏心受拉和偏心受压构件

第 4.6.1 条　偏心受拉和偏心受压构件的截面强度，当弯矩作用在主平面内时，应按下式验算：

$$\frac{N}{A_n} \pm \frac{M_x}{W_{nx}} \pm \frac{M_y}{W_{ny}} \leqslant f \qquad (4.6.1)$$

式中　M_x、M_y——对 x、y 轴的弯矩；

W_{nx}、W_{ny}——对 x、y 轴的净截面抵抗矩。

第 4.6.2 条　偏心受压构件的稳定性，当弯矩作用在主平面时，应分别按弯矩作用平面内和弯矩作用平面外进行验算。

一、弯矩作用平面内

实腹构件　　$$\frac{N}{\varphi_x A} + \frac{\beta_{mx} M_x}{W_{1x}\left(1 - 0.8\dfrac{N}{N_{Ex}}\right)} \leqslant f \qquad (4.6.2\text{-}1)$$

格构构件　　$$\frac{N}{\varphi_x A} + \frac{\beta_{mx} M_x}{W_{1x}\left(1 - \varphi_x\dfrac{N}{N_{Ex}}\right)} \leqslant f \qquad (4.6.2\text{-}2)$$

式中　N——所计算构件段范围内的轴心压力（N）；

M_x——弯矩，取所计算构件段范围内的最大值（N·m）；

N_{Ex}——欧拉临界力（N），$N_{Ex} = \pi^2 E A / \lambda_x^2$；

φ_x——弯矩作用平面内的轴心受压构件稳定系数，按本规范附录二采用；

β_{mx}——弯矩作用平面内的构件等效弯矩系数，可按表4.6.2的规定采用；

W_{1x}——毛截面抵抗矩（mm³）。对于实腹构件，取弯矩作用平面内的受压最大纤维毛截面抵抗矩；对于格构式构件，取 $W_{1x} = I_y / x_0$，I_y 为对虚轴 y 的毛截面惯性矩，x_0 为由虚轴 y 到压力较大分肢轴线的距离或者到压力较大分肢腹板边的距离，二者中取较大值。

构件支承条件、荷载情况示意图	弯矩作用平面内 β_{mx}	弯矩作用平面外 β_{tx}
一、有侧移悬臂 有横向荷载时： 		1.0
二、无侧移两端支承的构件 有横向荷载作用时： 1.跨中有一个集中荷载 2.其它荷载情况 	$1-0.2\dfrac{N}{N_{Ex}}$ 1.0	1.0
三、无侧移两端支承的构件 有端弯矩作用时： 1.无横向荷载 2.有横向荷载 	$0.65+0.35\dfrac{M_2}{M_1}$ 但不小于0.4，M_1 和 M_2 为在弯矩作用平面内的端弯矩，使构件产生同向曲率（无反弯点）时取同号，使构件产生反向曲率（有反弯点）时取异号， $|M_1|\geqslant |M_2|$ 端弯矩使构件产生同向曲率时：1.0 端弯矩使构件产生反向曲率时：0.85	

二、弯矩作用平面外

$$\frac{N}{\varphi\,A} + \frac{\beta_t\,M}{\varphi_b W_1} \leqslant f \qquad (4.6.2\text{-}3)$$

式中　φ ——弯矩作用平面外的轴心受压构件稳定系数，按本规范附录二采用；

φ_b ——受弯构件的整体稳定系数，按现行《钢结构设计规范》的规定采用，实腹箱形截面取 $\varphi_b = 1.4$；

β_{tx} ——弯矩作用平面外的构件等效弯矩系数，可按表4.6.2的规定采用。

对于格构式偏心受压构件，弯矩作用平面外的整体稳定性可以不计算，但应计算单肢的稳定性。

第 4.6.3 条　格构式偏心受压构件应按下式验算单肢的强度：

$$\frac{\dfrac{N}{n} + N_m}{A_{nu}} \leqslant f \qquad (4.6.3)$$

式中　n ——单肢数目；

N_m ——截面弯矩在单肢中引起的轴力（N）；

A_{nu} ——单肢净截面面积（mm²）。

第 4.6.4 条　格构式偏心受压构件应按下式计算单肢的稳定性：

$$\frac{\dfrac{N}{n} + N_m}{\varphi A_u} \leqslant f \qquad (4.6.4)$$

式中　A_u ——单肢毛截面面积（mm²）。

第 4.6.5 条　格构式轴心受压构件的剪力应按下式计算：

$$V = \frac{Af}{85} \sqrt{\frac{f_y}{235}} \qquad (4.6.5)$$

式中　f_y ——钢材屈服强度（N/mm²）。

此剪力 V 值可认为沿构件全长不变，并由承受该剪力的缀件面分担。

第 4.6.6 条 计算格构式偏心受压构件的缀件时，应取实际最大剪力和按公式（4.6.5）的计算剪力两者中的较大者进行计算。

一、缀条的内力应按桁架的腹杆计算。

二、缀板的内力应按下列公式计算：

剪力：
$$V_l = \frac{V_1 a}{s} \qquad (4.6.6\text{-}1)$$

弯矩（在和肢件连接处）：

$$M_l = \frac{V_1 a}{2} \qquad (4.6.6\text{-}2)$$

式中 V_1——分配到一个缀材面的剪力（N）；

a——缀板中到中距离（m）；

s——肢件轴线间距（m）。

第七节　焊缝连接计算

第 4.7.1 条 承受轴心拉力或压力的对接焊缝强度应按下式计算：

$$\sigma = \frac{N}{l_w t} \leqslant f_t^w \text{或} f_c^w \qquad (4.7.1)$$

式中 N——作用在连接处的轴心拉力或压力；

l_w——焊缝计算长度（mm），未用引弧板施焊时，每条焊缝取实际长度减去10mm；

t——连接件中的较小厚度（mm）；

f_t^w、f_c^w——对接焊缝的抗拉、抗压强度设计值，可按本规范附录一采用。

第 4.7.2 条 承受剪力的对接焊缝剪应力应按下式验算：

$$\tau = \frac{VS}{It} \leqslant f_v^w \qquad (4.7.2)$$

式中 V——剪力；

I——焊缝计算截面惯性矩（mm⁴）；

S——计算剪应力处以上的焊缝计算截面对中和轴的面积

矩（mm³）；

f_v^w——对接焊缝的抗剪强度设计值（N/mm²），按本规
范附录一采用；

第 4.7.3 条 承受弯矩和剪力的对接焊缝，应分别计算其
正应力σ和剪应力τ，并在同时受有较大正应力和剪应力处，应
按下式计算折算应力：

$$\sqrt{\sigma^2 + 3\tau^2} \leqslant 1.1 f_t^w \qquad (4.7.3)$$

第 4.7.4 条 角焊缝在轴心力（拉力、压力或剪力）作用
下的强度应按下式计算：

$$\sigma_f (\text{或} \tau_f) = \frac{N}{h_e l_w} \leqslant f_f^w \qquad (4.7.4)$$

式中　h_e——角焊缝的有效厚度（mm），对直角角焊缝取$0.7h_f$，
　　　　　h_f为较小焊脚尺寸；

　　　l_w——角焊缝的计算长度（mm），每条焊缝取实际长度
　　　　　减去10mm；

　　　f_f^w——角焊缝的强度设计值（N/mm²），按本规范附录
　　　　　一采用。

第 4.7.5 条 角焊缝在非轴心力或各种力共同作用下的强
度应按下式计算：

$$\sqrt{\sigma_w^2 + \tau_w^2} \leqslant f_f^w \qquad (4.7.5)$$

式中　σ_w——按焊缝有效截面计算、垂直于焊缝长度方向的应力
　　　　　（N/mm²）；

　　　τ_w——按焊缝有效截面计算、沿焊缝长度方向的应力（N/
　　　　　mm²）。

第 4.7.6 条 圆钢与钢板（或型钢）、圆钢与圆钢的连接
焊缝抗剪强度应按下式计算：

$$\tau = \frac{N}{h_e l_w} \leqslant f_f^w \qquad (4.7.6)$$

式中　N——作用在连接处的轴心力（N）；

　　　l_w——焊缝计算长度（mm²）；

h_e——焊缝有效厚度（mm²）。对圆钢与钢板连接，图
4.7.6（a），取$h_e = 0.7h_t$；对圆钢与圆钢连接，图
4.7.6（b），取$h_e = 0.1(d_1 + 2d_2) - a$，这里：

h_t为焊缝的焊脚尺寸（mm）；

d_1、d_2为大、小钢筋的直径（mm）；

a为焊缝表面至两根圆钢公切线的距离（mm）。

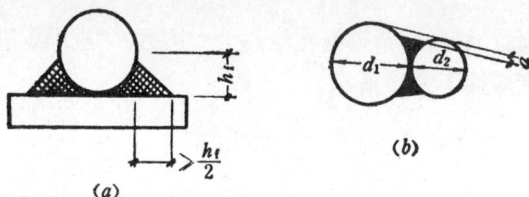

图 4.7.6 圆钢与钢板、圆钢与圆钢的连接焊缝

第八节 螺栓连接计算

第 4.8.1 条 受剪和受拉螺栓连接中，每个螺栓的受剪、承压、受拉承载力设计值应按下列公式计算：

受剪
$$N_v^b = n_v \frac{\pi d^2}{4} f_v^b \qquad (4.8.1\text{-}1)$$

承压
$$N_c^b = d\Sigma t \cdot f_c^b \qquad (4.8.1\text{-}2)$$

受拉
$$N_t^b = \frac{\pi d_e^2}{4} f_t^b \qquad (4.8.1\text{-}3)$$

式中 n_v——每个螺栓的受剪面数目；

d——螺栓杆直径（mm）；

d_e——螺栓螺纹处的有效直径（mm）；

Σt——在同一受力方向的承压构件的较小总厚度（mm）；

f_v^b、f_c^b、f_t^b——螺栓的抗剪、承压、抗拉强度设计值（N/mm²）
应按本规范附录一采用。

第 4.8.2 条 承受轴心力的连接所需普通螺栓的数目n按下式计算：

$$n \geqslant \frac{N}{N^b} \qquad (4.8.2)$$

式中 N^b——螺栓承载力设计值（N），螺栓受剪时取式
（4.8.1-1）和式（4.8.1-2）两计算值中的小者；
螺栓受拉时，取式（4.8.1-3）的计算值。

第4.8.3条 螺栓同时承受剪力和拉力时应满足下列两式
的要求：

$$\sqrt{\left(\frac{N_v}{N_v^b}\right)^2 + \left(\frac{N_t}{N_t^b}\right)^2} \leqslant 1 \qquad (4.8.3-1)$$

$$N_v \leqslant N_c^b/1.2 \qquad (4.8.3-2)$$

式中 N_v、N_t——每个螺栓所承受的剪力、拉力（N）；
N_v^b、N_c^b、N_t^b——每个螺栓的受剪、承压和受拉承载力设计值
（N），应按本规范第4.8.1条计算。

注：高强螺栓连接计算应按现行国家标准《钢结构设计规范》的规定采用。

第九节 法兰盘连接计算

第4.9.1条 法兰盘底板必须平整，其厚度t应按下式计算，
并不宜小于20mm，但对小型塔可不小于16mm。

$$t \geqslant \sqrt{\frac{6M_{max}}{f}} \qquad (4.9.1)$$

式中 t——法兰盘底板厚度（mm）；
M_{max}——底板单位宽度最大弯矩。

第4.9.2条 当法兰盘承受弯矩时，螺栓拉力应按下式计
算：

$$N_{ti}^b = \frac{My_i}{\Sigma y_i^2} \qquad (4.9.2)$$

式中 N_{ti}^b——i处的螺栓拉力（N）；
y_i——螺栓中心到旋转轴的距离（mm）。
对圆形法兰盘，图4.9.2（a），取圆杆外壁接触
点切线为旋转轴；
对矩形法兰盘，图4.9.2（b），取方杆外壁接触
边缘线为旋转轴。

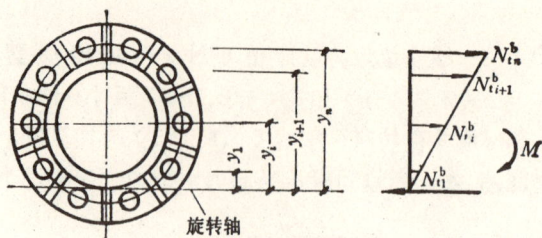

（a）圆形法兰盘

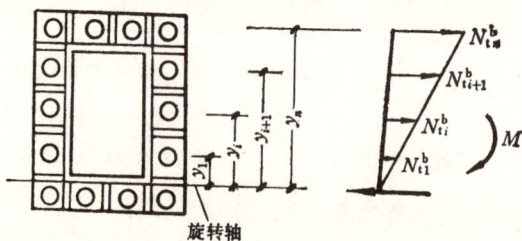

（b）矩形法兰盘

图 4.9.2　法兰盘

第 4.9.3 条　轴心受压柱脚底板应按下列公式计算。

一、底板面积 A

$$A \geqslant \frac{N}{f_c} + \Sigma A_0 \qquad （4.9.3）$$

式中　N——柱脚的轴心压力（N）；

　　　f_c——基础混凝土的抗压强度设计值（N/mm²）；

　　　ΣA_0——锚栓孔面积之和（mm²）。

二、底板厚度按公式（4.9.1）计算。

第十节　钢塔桅结构的构造要求

（Ⅰ）一　般　规　定

第 4.10.1 条　钢塔桅结构的构造应满足建成后和施工阶段

约受力要求。

第 4.10.2 条 钢塔桅结构应采取防锈措施，在可能积水的部位必须设置排水孔。对管形和其它封闭形截面的构件，当采用油漆防锈时端部应密封，当采用热镀锌防锈时端部不得密封。

第 4.10.3 条 钢塔桅结构选型应使传力明确，并尽量减少次应力影响，节点处各杆件的内力应交汇于一点；其节点构造应简单紧凑，力求减小结构的受风面积。

第 4.10.4 条 腹杆应伸入弦杆，并直接与弦杆相连，或用不小于腹杆厚度的节点板连接；当采用螺栓连接时腹杆与弦杆间的净距离不宜大于10mm。

第 4.10.5 条 钢塔桅结构主要受力构件及其连接应符合下列要求：

一、钢板厚度不小于5mm；

二、角钢截面不小于∟45×4；

三、圆钢直径不小于ϕ12；

四、钢管壁厚不小于4mm。

第 4.10.6 条 钢塔桅结构截面的边数不小于4时，应设置横膈，塔架宜每隔2～3节设置一道横膈，横杆每隔4～5节设置一道横膈；在塔柱变坡处，桅杆运输单元的两端及纤绳结点处应设置横膈。横膈必须具有较好的刚度。

（Ⅱ）焊 缝 连 接

第 4.10.7 条 焊接材料的强度宜与主体钢材的强度相适应。当不同强度的钢材焊接时，宜按强度低的钢材选择焊接材料。当大直径圆钢对接焊接时，宜采用钢模熔槽焊。当钢管对接焊接时，焊缝强度应不低于钢管的材料强度。

第 4.10.8 条 焊缝的布置应对称于构件重心，避免立体交叉和集中在一处。

第 4.10.9 条 焊缝的坡口形式应根据焊件尺寸和施工条件按现行有关标准的要求确定，并应符合下列规定：

一、钢板对接的过渡段的坡度不得大于1:4;

二、钢管或圆钢对接的过渡段长度不得小于直径差的2倍。

第 4.10.10 条 角焊缝的尺寸应符合下列要求：

一、角焊缝的最小焊脚尺寸 h_f 不得小于 $1.5\sqrt{t}$，t 为较厚焊件的厚度（mm），并不得大于较薄焊件厚度的1.2倍。自动焊的角焊缝最小焊脚尺寸可减小1mm；T型连接的单面角焊缝应增加1mm。当焊件厚度小于或等于4mm时，最小焊脚尺寸可取与焊件厚度相同。

二、焊件边缘的角焊缝最大焊脚尺寸，当焊件厚度 $t \leqslant 6$mm 时取 $h_f \leqslant t$，当焊件厚度 $t > 6$mm 时取 $h_f \leqslant t - (1 \sim 2)$mm。圆孔或槽孔的角焊缝焊脚尺寸尚不宜大于圆孔直径或槽孔短径的1/3;

三、侧面角焊缝或正面角焊缝的计算长度应不小于 $8h_f$ 和40mm；并不应大于 $40h_f$。若内力沿侧面角焊缝全长分布，则计算长度不受此限。

第 4.10.11 条 圆钢与圆钢、圆钢与钢板（或型钢）间的角焊缝有效厚度，不宜小于圆钢直径的0.2倍（当两圆钢直径不同时，取平均直径），又不宜小于3mm，并不大于钢板厚度的1.2倍；计算长度不应小于20mm。

第 4.10.12 条 塔桅结构构件端部的焊缝可采用围焊，所有围焊的转角处必须连续施焊。

（Ⅲ）螺 栓 连 接

第 4.10.13 条 构件采用螺栓连接时，连接螺栓的直径不应小于12mm，每一杆件在接头一边的螺栓数不宜少于2个，连接法兰盘的螺栓数不应少于3个。对桅杆的腹杆或格构式构件的缀条与弦杆的连接，可用一个螺栓。弦杆角钢连接，在接头一边的螺栓数不宜少于6个。

第 4.10.14 条 螺栓排列和距离应符合表4.10.14的要求。

螺栓的排列和允许距离　　　　　　　表 4.10.14

名　称	位　置　和　方　向		最大允许距离 (取两者的较小值)	最小允 许距离
中心间距	外　　排		$8d_0$ 或 $12t$	$3d_0$
	中间排	构件受压力	$12d_0$ 或 $18t$	
		构件受拉力	$16d_0$ 或 $24t$	
中心至构件 边缘距离	顺　内　力　方　向			$2d_0$
	垂直内力方向	切　割　边	$4d_0$ 或 $8t$	$1.5d_0$
		轧　制　边		$1.2d_0$

注：① d_0 为螺栓的孔径，t 为外层较薄板件的厚度；

② 钢板边缘与刚性构件（如角钢、槽角等）相连时，螺栓最大间距可按中间排的数值采用。

（Ⅳ）法 兰 盘 连 接

第 4.10.15 条　当圆钢或钢管与法兰盘焊接且设置加劲肋时，加劲肋的厚度不应小于肋长的1/15，并不应小于5mm。

第 4.10.16 条　塔柱由角钢或其它格构式杆件组成时，塔柱与法兰盘的连接构造和计算应与柱脚的相同。

第五章 钢筋混凝土圆筒形塔

第一节 一 般 规 定

第 5.1.1 条 本章的钢筋混凝土圆筒形塔适用于电视塔、排气塔以及水塔支筒等结构。

烟囱的截面设计应按现行国家标准《烟囱设计规范》的规定执行。

第 5.1.2 条 钢筋混凝土圆筒形塔的塔筒水平截面的承载能力采用下列极限状态设计表达式：

$$N \leqslant R_N(f_c 、 f_s 、 a_k \cdots \cdots) \qquad (5.1.2\text{-}1)$$

$$M + \Delta M \leqslant R_M(f_c 、 f_s 、 a_k \cdots \cdots) \qquad (5.1.2\text{-}2)$$

式中 N、M —— 轴向力设计值、弯矩设计值，应按本规范第二章和第三章规定的荷载值和荷载组合方法计算；

      ΔM —— 附加弯矩，可按本章第5.2.6条或本规范附录四计算；

$R_N(f_c 、 f_s 、 a_k \cdots \cdots)$ —— 截面的抗压承载能力；

$R_M(f_c 、 f_s 、 a_k \cdots \cdots)$ —— 截面的抗弯承载能力；

    $f_c 、 f_s$ —— 混凝土轴心抗压强度设计值和钢筋的强度设计值；

    a_k —— 截面的几何参数。

第 5.1.3 条 钢筋混凝土圆筒形塔身的正常使用极限状态设计控制条件应符合本规范第2.0.8条的规定。

第 5.1.4 条 塔身由于设置悬挑平台、牛腿、挑梁、支承托架、天线杆、塔楼等而受到局部荷载作用时，荷载组合方法和设计控制条件等应根据实际情况按有关规范、规程确定。

第 5.1.5 条 混凝土和钢筋的强度设计值应按现行国家标准《混凝土结构设计规范》的规定采用。

第二节　塔身变形和塔筒截面内力计算

第 5.2.1 条 计算圆筒形塔的动力特征时可将塔身简化成多质点悬臂体系，沿塔高每 5～10m 设一质点，每座塔的质点总数不宜少于 8 个。

每个质点的重力应取相邻上下质点距离内结构自重的一半，有塔楼时应包括相应的塔楼重和楼面固定设备重，但楼面活荷载可不计。

相邻质点间的塔身截面刚度取该区段的平均截面刚度，可不考虑开孔和局部加强措施（如洞口扶壁柱等）的影响。

第 5.2.2 条 计算结构自振特性和正常使用极限状态时，可将塔身视为弹性体系。其截面刚度可按下列规定取值：

计算结构自振特性时，取 $0.85E_cI$；

计算正常使用极限状态时，取 $0.65E_cI$；

考虑地震作用时，取 $1.0E_cI$。

注：E_c 为混凝土的弹性模量，I 为圆环截面的惯性矩。

第 5.2.3 条 计算不均匀日照引起的塔身变位时，截面曲率$(1/r_c)$可按下式计算：

$$1/r_c = a_T \Delta t/d \qquad (5.2.3)$$

式中　a_T——钢筋混凝土的线膨胀系数，取 1×10^{-5}/℃；

Δt——由日照引起的塔身向阳面和背阳面的温度差；

d——塔筒的外径。

第 5.2.4 条 在风荷载的动力作用下，塔身任意高度处的振动加速度可按下式计算：

$$a = 40X/T^2 \qquad (5.2.4)$$

式中　a——加速度(m/s^2)；

X——风荷载的动力作用下，塔身在该高度处的水平振幅(m)；

T——塔的基本自振周期（s）。

第 5.2.5 条 考虑横向风振时截面的组合弯矩可按下式计算：

$$M_{max} = \sqrt{M_n^2 + M_i^2} \qquad (5.2.5)$$

式中　M_{max}——截面组合弯矩（N·m）；

　　　M_n——横向风振引起的弯矩（N·m）；

　　　M_i——相应于临界风速的顺风向弯矩（N·m）。

注：横向风振和临界风速可按本规范第三章的规定计算。

第 5.2.6 条 在塔身截面 i 处由塔体竖向荷载和水平位移所产生的附加弯矩 ΔM_i 可按下式计算（图5.2.6），也可按本规范附录四计算。

$$\Delta M_i = \sum_{j=i+1}^{n} G_j(u_j - u_i) \qquad (5.2.6)$$

式中　G_j——j 质点的重力，（考虑竖向地震影响时应包括竖向地震作用）；

　　u_i、u_j——i、j 质点的最终水平位移，计算时包括日照温差和基础倾斜的影响。

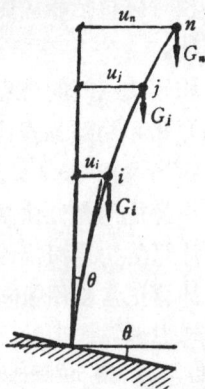

注：对产生较大位移的情况（如地震作用），位移计算中应考虑非线性影响。

图 5.2.6　截面附加弯矩计算简图

第三节　塔筒承载能力计算

第 5.3.1 条 钢筋混凝土塔筒水平截面承载能力可按下列公式计算：

一、塔筒截面无孔洞时（图5.3.1-1）

$$N \leqslant \alpha f_c A + (\alpha - \alpha_t) f_s A_s \qquad (5.3.1-1)$$

$$M + \Delta M \leqslant f_c A r \frac{\sin\alpha\pi}{\pi} + f_s A_s r \left(\frac{\sin\alpha\pi}{\pi} + \frac{\sin\alpha_t\pi}{\pi} \right)$$

$$(5.3.1-2)$$

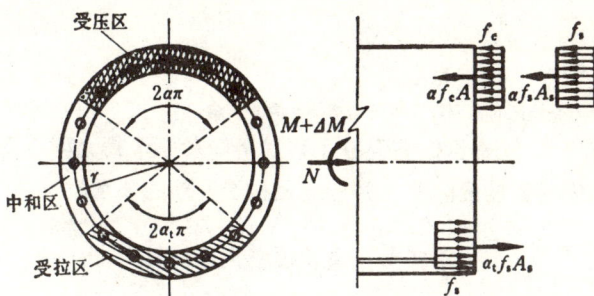

图 5.3.1-1 塔筒截面不开孔

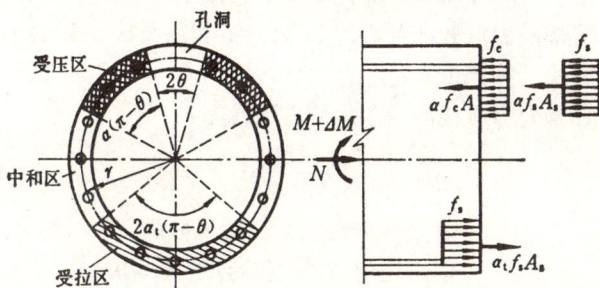

图 5.3.1-2 塔筒截面受压区开孔

二、塔筒受压区有一个孔洞时（图5.3.1-2）

$$N \leqslant \alpha f_c A + (\alpha - \alpha_t) f_s A_s \qquad (5 \cdot 3 \cdot 1\text{-}3)$$

$$M + \Delta M \leqslant \frac{r}{\pi - \theta} \{ (f_c A + f_s A_s) [\sin(\alpha\pi - \alpha\theta + \theta) - \sin\theta]$$

$$+ f_s A_s \sin\alpha_t(\pi - \theta) \} \qquad (5.3.1\text{-}4)$$

式中　　A——塔筒截面面积，当塔筒受压区有孔洞时，扣除孔洞面积；

　　　　A_s——全部纵向钢筋的截面面积，当塔筒受压区有孔洞时，扣除孔洞断筋的面积；

　　　　r——塔筒平均半径；

　　　　α——受压区的半角系数，按式（5.3.1-1）确定；

　　　　α_t——受拉钢筋的半角系数，一般取 $\alpha_t = 1 - 1.5\alpha$；当

49

$$\alpha \geqslant \frac{2}{3} \text{ 时，取 } \alpha_t = 0;$$

θ——孔洞的半角（rad）。

注：当受拉区有孔洞时，可不考虑该孔洞的影响。

第 5.3.2 条 钢筋混凝土塔筒竖向截面承载力可不验算，但竖向裂缝宽度应验算，并应满足构造配筋的要求。

第四节 塔筒裂缝宽度计算

第 5.4.1 条 计算钢筋混凝土塔筒裂缝宽度时，应按 $e_{0k} \leqslant r_{c0}$ 和 $e_{0k} > r_{c0}$ 两种偏心情况计算截面混凝土压应力和钢筋拉应力。此时轴向力对截面圆心的偏心距 e_{0k} 和截面核心距 r_{c0} 应分别按下列公式计算：

一、轴向力对截面圆心的偏心距 e_{0k}

$$e_{0k} = \frac{M_k + \Delta M_k}{N_k} \qquad (5.4.1\text{-}1)$$

式中 N_k、M_k——各项标准荷载（包括风荷载）共同作用下的截面轴向力（N）和弯矩（N·m）；

ΔM_k——相应的附加弯矩。

二、截面核心距 r_{c0}

塔筒截面无孔洞时

$$r_{c0} = 0.5r \qquad (5.4.1\text{-}2)$$

塔筒截面受压区有一个孔洞时

$$r_{c0} = \frac{\pi - \theta - 0.5\sin2\theta - 2\sin\theta}{2(\pi - \theta - \sin\theta)} r \qquad (5.4.1\text{-}3)$$

第 5.4.2 条 钢筋混凝土塔筒水平截面的应力，当 $e_{0k} \leqslant r_{c0}$ 时应按下列规定确定，图5.4.1-(a)。

一、背风面混凝土的压应力 σ_c' 应按下列公式计算，但不得大于混凝土的抗压强度设计值 f_c：

塔筒截面无孔洞时

$$\sigma_c' = \frac{N_k}{A(1 + \omega)}\left(1 + 2\frac{e_{0k}}{r}\right) \qquad (5.4.2\text{-}1)$$

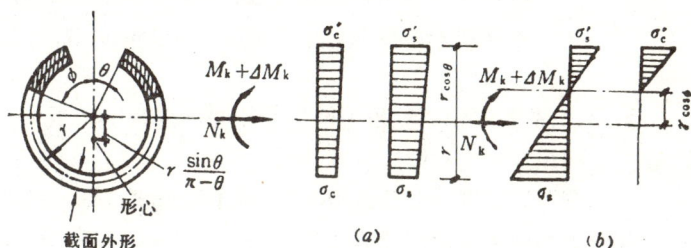

图 5.4.1 水平截面在标准荷载作用下的计算简图

（a）$e_{0k} \leqslant r_{c0}$（单向应力情况）；（b）$e_{0k} > r_{c0}$（双向应力情况）

塔筒截面受压区有一个孔洞时

$$\sigma_c' = \frac{N_k}{A(1 + \omega)}$$

$$\times \left\{ 1 + \frac{2\left(\dfrac{e_{0k}}{r} + \dfrac{\sin\theta}{\pi - \theta}\right)[(\pi - \theta)\cos\theta + \sin\theta]}{\pi - \theta - 0.5\sin2\theta - 2\dfrac{\sin^2\theta}{\pi - \theta}} \right\}$$

$$(5.4.2-2)$$

二、迎风面混凝土的压应力 σ_c 应按下列公式计算：

塔筒截面无孔洞时

$$\sigma_c = \frac{N_k}{A(1 + \omega)}\left(1 - 2\frac{e_{0k}}{r}\right) \qquad (5.4.2-3)$$

塔筒截面受压区有一个孔洞时

$$\sigma_c = \frac{N_k}{A(1 + \omega)}$$

$$\times \left\{ 1 - \frac{2\left(\dfrac{e_{0k}}{r} + \dfrac{\sin\theta}{\pi - \theta}\right)(\pi - \theta - \sin\theta)}{\pi - \theta - 0.5\sin2\theta - 2\dfrac{\sin^2\theta}{\pi - \theta}} \right\}$$

$$(5.4.2-4)$$

$$A = 2rt(\pi - \theta) \qquad (5.4.2-5)$$

式中　A——塔筒水平截面面积；

ω ——塔筒水平截面的特征系数，取$2.5\rho\alpha_E$，α_E 为钢筋和混凝土弹性模量比E_s/E_c，ρ 为截面纵向钢筋配筋率。

第 5.4.3 条 钢筋混凝土塔筒水平截面的应力，当$e_0 > r_{c0}$时应按下列规定确定，图5.4.1-(b)。

一、背风面混凝土的压应力σ'_c应按下列公式计算，但不得大于混凝土的抗压强度设计值f_c：

（1）塔筒截面无孔洞时

$$\sigma'_c = \frac{N_k}{A} \cdot \frac{\pi(1 - \cos\phi)}{\sin\phi - (\phi + \pi\omega)\cos\phi} \qquad (5.4.3-1)$$

（2）塔筒截面受压区有一个孔洞时

$$\sigma'_c = \frac{N_k}{A}$$
$$\times \frac{(\pi - \theta)(\cos\theta - \cos\phi)}{\sin\phi - (1+\omega)\sin\theta - [\phi - \theta + (\pi - \theta)\omega]\cos\phi}$$

$$(5.4.3-2)$$

二、迎风面纵向钢筋的拉应力σ_s应按下列公式计算，但不得大于钢筋的强度设计值f_s：

塔筒截面无孔洞时

$$\sigma_s = 2.5\alpha_E \frac{1 + \cos\phi}{1 - \cos\phi}\sigma'_c \qquad (5.4.3-3)$$

塔筒截面受压区有一个孔洞时

$$\sigma_s = 2.5\alpha_E \frac{1 + \cos\phi}{\cos\theta - \cos\phi}\sigma'_c \qquad (5.4.3-4)$$

式中ϕ为截面受压区半角，可按下列公式计算，也可按本规范附录三确定：

（1）塔筒截面无孔洞时

$$\frac{e_{0k}}{r} = \frac{\phi - 0.5\sin2\phi + \omega\pi}{2[\sin\phi - (\phi + \omega\pi)\cos\phi]} \qquad (5.4.3-5)$$

（2）塔筒截面受压区有一个孔洞时

52

$$\frac{e_{0k}}{r} =$$

$$\frac{(1+\omega)(\phi-\theta-0.5\sin2\theta+2\sin\theta\cos\phi)-0.5\sin2\phi+\omega(\pi-\phi)}{2\{\sin\phi-(1+\omega)\sin\theta-[\phi-\theta+(\pi-\theta)\omega]\cos\phi\}}$$

$$(5.4.3\text{-}6)$$

第 5.4.4 条 钢筋混凝土塔筒在各项标准荷载和温度共同作用下产生的最大水平裂缝宽度 w_{max}（mm）按下式计算：

$$w_{max} = a_{cr}\psi\frac{\sigma_{sc}}{E_s}\left(2.7c+0.1\frac{d}{\rho}\right)v \qquad (5.4.4\text{-}1)$$

$$\sigma_{sc} = \sigma_s + 0.5E_s\Delta t a_T \qquad (5.4.4\text{-}2)$$

$$\psi = 1.1 - \frac{0.65f_{tk}}{\rho\sigma_{sc}} \qquad (5.4.3\text{-}3)$$

式中　σ_{sc}——在各项标准荷载和温度共同作用下的纵向钢筋拉应力；

　　　　σ_s——在各项标准荷载作用下的纵向钢筋拉应力（N/mm²），可按本章第5.4.3条计算；

　　　　a_T——混凝土线膨胀系数，取 $1\times10^{-5}/℃$；

　　　　Δt——筒壁内外温差（℃）；

　　　　a_{cr}——与构件受力特征有关的系数，取2.7；

　　　　ψ——裂缝间纵向受拉钢筋应变不均匀系数，当 $\psi<0.4$ 时取0.4，当 $\psi>1.0$ 时取1.0。

　　　　f_{tk}——混凝土抗拉强度标准值（N/mm²）

　　　　ρ——截面纵向钢筋配筋率；

　　　　v——与纵向受拉钢筋表面特征有关的系数，对变形钢筋取0.7，对光面钢筋取1.0；

　　　　d——钢筋直径(mm)，当采用不同直径的钢筋时，d 改用换算直径 $\frac{4A_s}{s}$（s 为全部纵向钢筋的总周长）；

　　　　c——最外一排纵向受拉钢筋的保护层厚度（mm）。

　　注：当 $e_{0k}\leqslant r_{c}0$ 时，水平裂缝宽度不需验算。

第 5.4.5 条 钢筋混凝土塔筒由于内外温差所产生的最大竖向裂缝宽度 w_{max} 仍可按第5.4.4条的公式进行计算，仅在采用

α_{cr}、ρ 及 σ_{sc} 三个数据时有所不同。此时：

（1）系数 α_{cr} 取用2.1。

（2）ρ 为按有效受拉混凝土面积计算的环向受拉钢筋配筋率（受拉区高度可取塔筒壁厚的一半），当 $\rho < 0.008$ 时取 $\rho = 0.008$。

（3）σ_{sc} 应按下式计算：

$$\sigma_{sc} = E_s \Delta t \alpha_T (1 - \xi) \qquad (5.4.5\text{-}1)$$

$$\xi = -\omega_v + \sqrt{\omega_v^2 + 2\omega_v} \qquad (5.4.5\text{-}2)$$

$$\omega_v = 2\rho\alpha_E \qquad (5.4.5\text{-}3)$$

式中　ξ ——受压区相对高度；

　　　ω_v ——塔筒竖向截面的特征系数；

　　　α_E ——钢筋和混凝土的弹性模量比，E_s/E_c。

第五节　钢筋混凝土塔筒的构造要求

第 5.5.1 条　塔筒的最小厚度 t_{min}（mm）可按下式计算，但不应小于160mm：

$$t_{min} = 100 + 10d \qquad (5.5.1)$$

式中　d ——塔筒外直径（m）。

第 5.5.2 条　塔筒外表面沿高度坡度可连续变化，也可分段采用不同的坡度。

塔筒壁厚可沿高度均匀变化，也可分段阶梯形变化。

第 5.5.3 条　筒壁的混凝土强度等级不应低于C20；混凝土的水灰比不宜大于0.50；纵向或环向钢筋的混凝土保护层厚度不应小于30mm。

第 5.5.4 条　筒壁上的孔洞应规整，同一截面上开多个孔洞时，应沿圆周均匀分布，其圆心角总和不应超过140°，单个孔洞的圆心角不应大于70°。

第 5.5.5 条　钢筋混凝土塔筒应配置双排纵向钢筋和双层环向钢筋，其最小配筋率应符合表5.5.5的规定。

钢筋混凝土塔筒的最小配筋率　　　表 5.5.5

塔 筒 配 筋 类 别		混 凝 土 强 度 等 级	
		C₂₀	C₂₅~C₄₀
纵向钢筋	外　排	0.20	0.25
	内　排	0.10	0.15
环向钢筋	外　层	0.15	0.20
	内　层	0.10	0.10

第 5.5.6 条　纵向钢筋和环向钢筋的最小直径和最大间距应符合表5.5.6的规定。

钢筋最小直径和钢筋最大间距（mm）　　　表 5.5.6

配 筋 类 别	钢筋最小直径	钢筋最大间距
纵向钢筋	12	外排300 内排500
环向钢筋	10	250 且不大于筒壁厚度

第 5.5.7 条　内外层环向钢筋应分别与内、外排纵向钢筋绑扎成钢筋网（图5.5.7）。内外钢筋网之间用拉筋连接，拉筋直径不宜小于6mm，拉筋的纵横间距可取500~600mm。拉筋应交错布置，并与纵向钢筋连接牢固。

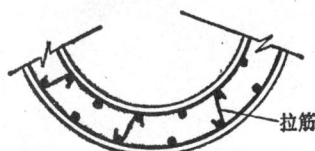

拉筋

图 5.5.7　纵向钢筋与环向钢筋布置

第 5.5.8 条　当纵向钢筋直径不大于18mm时可采用非焊接或焊接的搭接接头，当大于18mm时宜采用对焊接头。环向钢筋可采用搭接接头，有地震作用时应采用焊接接头。

非焊接钢筋的搭接长度，Ⅰ级钢筋应为30d，Ⅱ级钢筋应为35d。同一截面上搭接接头的数量不应超过钢筋总数的$\frac{1}{4}$；对焊接接头则接头数量不应超过钢筋总数的$\frac{1}{2}$，且接头位置应均匀错开。

第 5.5.9 条 塔筒孔洞处的补强钢筋应按下列要求配置：

一、补强钢筋应靠近洞口周围布置，其面积可取同方向被孔洞切断钢筋截面积的1.3倍；

二、矩形孔洞的四角处应配置45°方向的斜向钢筋，每处斜向钢筋可按筒壁每100mm厚度采用250mm²钢筋面积，且钢筋不宜少于2根；

三、所有补强钢筋伸过孔洞边缘的长度不应小于40倍钢筋直径。

第六章 地基与基础

第一节 一般规定

第 6.1.1 条 高耸结构的基础选型应根据建设场地土条件和结构的要求确定。高耸结构的地基应进行强度计算和变形验算，有特殊要求时尚应进行抗拔、抗滑稳定验算。

第 6.1.2 条 高耸结构基础设计应符合下列要求：

一、电视塔、微波塔基础底面在组合荷载作用下不允许脱开基土；

二、石油化工塔基础底面在正常操作或充水试压情况下不允许脱开基土，在停产检修时允许部分脱开基土；

三、专业塔基础底面在不影响工艺要求时允许部分脱开基土；

四、各类塔基础底面在考虑地震作用时允许脱开基土；

五、基础底面允许部分脱开基土的面积应控制不大于底面全面积的1/4。

第二节 地基计算

第 6.2.1 条 地基承载力的计算应符合下列要求：

一、当承受轴心荷载时

$$p_m \leqslant f_s \qquad (6.2.1-1)$$

式中 p_m——基础底面平均压力（kN/m²）；

f_s——地基承载力设计值，应按现行国家标准《建筑地基基础设计规范》的规定采用。

二、当承受偏心荷载时

除应符合公式（6.2.1-1）的要求外，尚应满足下式要求：

57

$$p_{max} \leqslant 1.2 f_s \qquad (6.2.1-2)$$

式中 p_{max}——基础边缘的最大压力（kN/m^2）。

当考虑地震作用时，在公式（6.2.1-1）、（6.2.1-2）中应采用地基抗震承载力设计值f_{sE}代替地基承载力设计值f_s，地基抗震承载力设计值f_{sE}应按现行国家标准《建筑抗震设计规范》的规定采用。

第 6.2.2 条 当基础承受轴心荷载和在核心区内承受偏心荷载时，基础底面压力可按下列公式计算：

一、矩（方）形和圆（环）形基础承受轴心荷载时

$$p_m = \frac{N+G}{A} \qquad (6.2.2-1)$$

式中 N——上部结构传至基础的竖向荷载设计值（kN）；

G——基础自重（包括基础上的土重）（kN）；

A——基础底面面积（m^2）。

二、矩（方）形、和圆（环）形基础承受（单向）偏心荷载时

$$p_{max} = \frac{N+G}{A} + \frac{M}{W} \qquad (6.2.2-2)$$

$$p_{min} = \frac{N+G}{A} - \frac{M}{W} \qquad (6.2.2-3)$$

式中 M——上部结构传至基础的力矩设计值（$kN \cdot m$）；

W——基础底面的抵抗矩（m^3）；

p_{min}——基础边缘最小压力（kN/m^2）。

三、当矩（方）形基础承受双向偏心荷载时

$$p_{max} = \frac{N+G}{A} + \frac{M_x}{W_x} + \frac{M_y}{W_y} \qquad (6.2.2-4)$$

$$p_{min} = \frac{N+G}{A} - \frac{M_x}{W_x} - \frac{M_y}{W_y} \qquad (6.2.2-5)$$

式中 M_x、M_y——上部结构传至基础对x、y轴的力矩设计值（$kN \cdot m$）；

W_x、W_y——矩（方）形基础底面对x、y轴的抵抗矩（m^3）。

第 6.2.3 条 当基础在核心区外承受偏心荷载，且基底脱开基土面积不大于全部面积的 $\frac{1}{4}$ 时，基础底面压力可按下列公式确定：

一、矩（方）形基础承受单向偏心荷载时（图 6.2.3-1）

$$p_{max} = \frac{2(N+G)}{3la} \qquad (6.2.3-1)$$

$$3a \geqslant 0.75b \qquad (6.2.3-2)$$

式中　b ——平行于 x 轴的基础底面边长（m）；

　　　l ——平行于 y 轴的基础底面边长（m）；

　　　a ——合力作用点至基础底面最大压力边缘的距离（m）。

二、矩（方）形基础承受双向偏心荷载时（图 6.2.3-2）

图 6.2.3-1　在单向偏心荷载作用下矩（方）形基础底面部分脱开时的基底压力

A_T——基底脱开面积；e——偏心距

$$p_{max} = \frac{N+G}{3a_x a_y} \qquad (6.2.3-3)$$

$$a_x a_y \geqslant 0.125bl \qquad 6.2.3-4)$$

式中　a_x ——合力作用点至 e_x 一侧基础边缘的距离，按 $\frac{b}{2} - e_x$ 计算；

　　　a_y ——合力作用点至 e_y 一侧基础边缘的距离，按 $\frac{l}{2} - e_y$ 计算；

　　　e_x —— x 方向的偏心距（m），按 $\frac{M_x}{N+G}$ 计算；

　　　e_y —— y 方向的偏心距（m），按 $\frac{M_y}{N+G}$ 计算。

三、圆（环）形基础承受偏心荷载时（图 6.2.3-3）

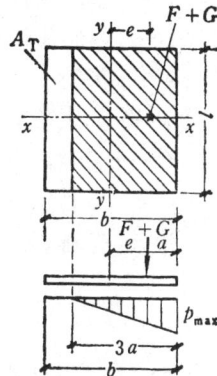

$$p_{max} = \frac{N + G}{\xi r_1^2} \qquad (6.2.3-5)$$

$$a_c = \tau r_1 \qquad (6.2.3-6)$$

式中　r_1——基础底板半径（m）；

　　　r_2——环形基础孔洞的半径（m），当 $r_2 = 0$ 时即为圆形基础；

　　　a_c——基底受压面积宽度（m）；

　　　ξ、τ——系数，根据比值 r_2/r_1 及 e/r_1 按本规范附录五确定。

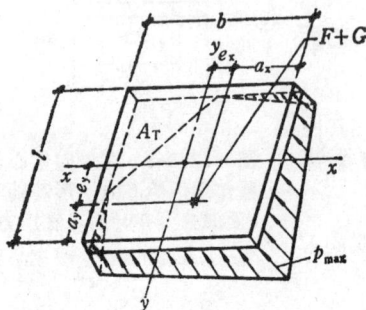

图 6.2.3-2　在双向偏心荷载作用下，矩（方）形基础底面部分脱开时的基底压力

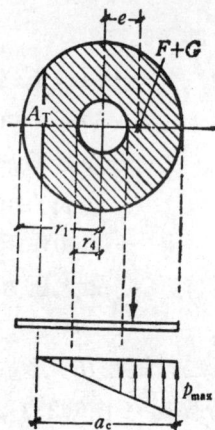

图 6.2.3-3　在偏心荷载作用下，圆（环）形基础底面部分脱开时的基底压力

第 6.2.4 条　高耸结构的地基变形计算主要有下列两项，其计算值应不大于地基变形容许值。

一、地基最终沉降量应按现行国家标准《建筑地基基础设计规范》的规定计算。

二、基础倾斜应按下列公式计算：

$$tg\theta = \frac{s_1 - s_2}{b \text{或} d} \qquad (6.2.4)$$

式中　s_1、s_2——基础倾斜方向两边缘的最终沉降量（mm），对矩（方）形基础可按现行国家标准《建筑地

基基础设计规范》计算，对圆（环）形基础可
按现行国家标准《烟囱设计规范》计算；

b——矩（方）形基础倾斜方向的宽度（mm）；

d——圆（环）形基础的外径（mm）。

注：①当计算风荷载作用下的地基变形时，应采用地基土的三轴试验不排水模量（弹性模量）代替变形模量。

②对于高度低于100米的高耸结构，当地基土比较均匀，又无相邻地面荷载的影响时，在地基最终沉降量能满足允许沉降量的要求后，可不验算倾斜。

第 6.2.5 条 高耸结构的地基变形允许值可按表6.2.5的规定采用，当工艺有特殊要求时，可按有关专业规范规程另行确定。

高耸结构的地基变形允许值   表 6.2.5

结构类型		沉降量允许值 （mm）		倾斜允许值
		高压缩性粘性土	低、中压缩性粘性土，砂土	$tg\theta$
电视塔、微波塔等	$H\leqslant20$	400		$\leqslant0.008$
	$20<H\leqslant50$	400		$\leqslant0.006$
	$50<H\leqslant100$	400	200	$\leqslant0.005$
	$100<H\leqslant150$	300		$\leqslant0.004$
	$150<H\leqslant200$	300		$\leqslant0.003$
	$200<H\leqslant250$	200		$\leqslant0.002$
	$250<H\leqslant300$	200		$\leqslant0.0015$
	$300<H\leqslant400$	100	100	$\leqslant0.0010$
石油化工塔	一般石油化工塔			$\leqslant0.004$
	分馏类石油化工塔 $d_0\leqslant3.2$	200	100	$\leqslant0.004$
	$3.2<d_0\leqslant6.4$			$\leqslant0.0025$

注：H为高耸结构的总高度(m)；d_0为石油化工塔的内径(m)。

61

第三节　刚性基础和板式基础

第 6.3.1 条　刚性基础的外形尺寸应符合下列要求：

一、圆形基础（图6.3.1-1）

$$b_1 \leqslant 0.8h\,\mathrm{tg}\alpha$$

$$h \geqslant \frac{d_1}{3\,\mathrm{tg}\alpha}$$

二、环形基础（图6.3.1-2）

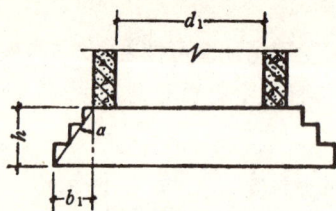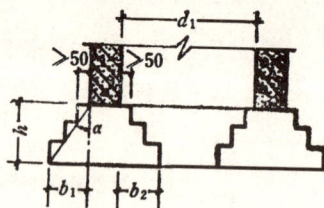

图 6.3.1-1　圆形基础　　　　图 6.3.1-2　环形基础

$$b_1 \leqslant 0.8h\,\mathrm{tg}\alpha$$

$$b_2 \leqslant h\,\mathrm{tg}\alpha$$

三、锥形和阶梯形基础（图6.3.1-3）

$$b_2 \leqslant h\,\mathrm{tg}\alpha$$

$$b_1 \leqslant h_1\,\mathrm{tg}\alpha$$

$$b_x \leqslant h_x\,\mathrm{tg}\alpha$$

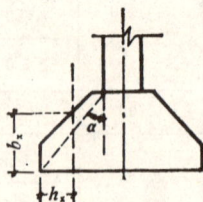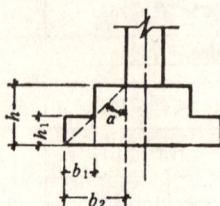

（a）锥形基础　　　　　　（b）阶梯形基础

图 6.3.1-3　锥形和阶梯形基础

四、基础台阶宽高比（$\text{tg}\alpha$）的允许值应符合表6.3.1的规定。

刚性混凝土基础台阶宽高比的允许值　　表6.3.1

基础底面处的平均压力 p_m（kN/m²）		宽 高 比 允 许 值
混 凝 土 强 度 等 级		
C$_{10}$	C$_{15}$	（$\text{tg}\alpha$）
≤90	≤110	1:1
110	140	1:1.2
140	180	1:1.4
180	230	1:1.6
≥220	≥270	1:1.8

第6.3.2条 板式基础的外形尺寸宜符合下列要求：

一、圆形板式基础（图6.3.2-1）

$$\frac{r_1}{r_c} \approx 1.5$$

$$\frac{r_1 - r_2}{2.2} \leqslant h \geqslant \frac{r_3}{4.0}$$

$$h_1 \geqslant \frac{h}{2}$$

二、环形板式基础（图6.3.2-2）

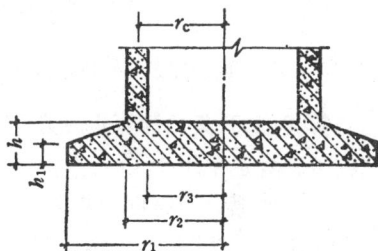

图 6.3.2-1　圆形板式基础

$$r_4 \geqslant \psi r_c$$

$$\frac{r_1 - r_2}{2.2} \leqslant h \geqslant \frac{r_3 - r_4}{3}$$

$$h_1 \geqslant \frac{h}{2} \leqslant h_2$$

式中　r_c——筒体底截面的平均半径，$r_c = \dfrac{r_2 + r_3}{2}$；

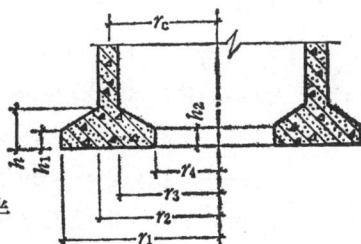

图 6.3.2-2　环形板式基础

r_1、r_2、r_3、r_4——基础不同位置的半径；

h、h_1、h_2——基础底板不同位置的厚度；

ψ——环形基础底板外形系数，可根据比值r_1/r_c按图 6.3.2-3确定。

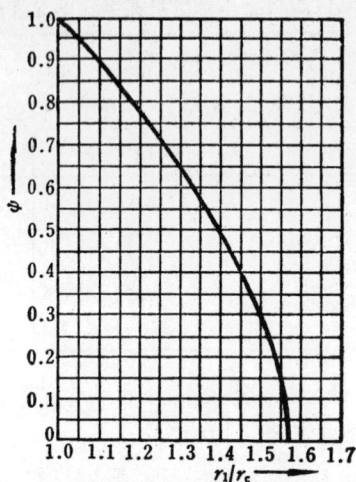

图 6.3.2-3 环形基础底板外形系数ψ曲线

第 6.3.3 条 计算矩（方）形板式基础强度时，基底压力 可按下列规定采用。

一、坡形顶面的板式基础（图6.3.3-1）

计算任一截面x-x的内力时，可采用按下式求得的基底均布 荷载p；

$$p = \frac{p_{max} + p_x}{2} \qquad (6.3.3-1)$$

式中　p——基底均布荷载；

p_{max}——基底边缘最大压力；

p_x——计算截面x-x处的基底压力。

二、台阶形顶面的板式基础（图6.3.3-2）

计算截面1-1及2-2的内力时，可分别采用按下列二式求得的 基底均布荷载p；

$$p = \frac{p_{max} + p_1}{2} \qquad (6.3.3-2)$$

$$p = \frac{p_{max} + p_2}{2} \qquad (6.3.3-3)$$

式中　p_1、p_2——计算截面1-1、2-2处的基底压力。

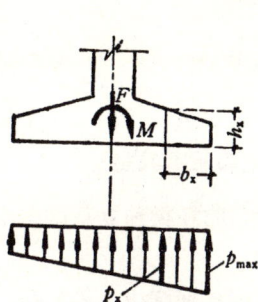

图 6.3.3-1　坡形顶面板式基础
的荷载计算简图

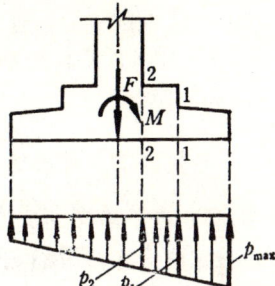

图 6.3.3-2　台阶形底板顶面板
式基础的荷载计算简图

第 6.3.4 条　计算圆形、环形基础底板强度时（图6.3.4）可取基础外悬挑中点处的基底最大压力p作为基底均布荷载采用，p值可按下式计算：

$$p = \frac{N}{A} + \frac{M}{I}\ \frac{r_1 + r_2}{2} \qquad (6.3.4)$$

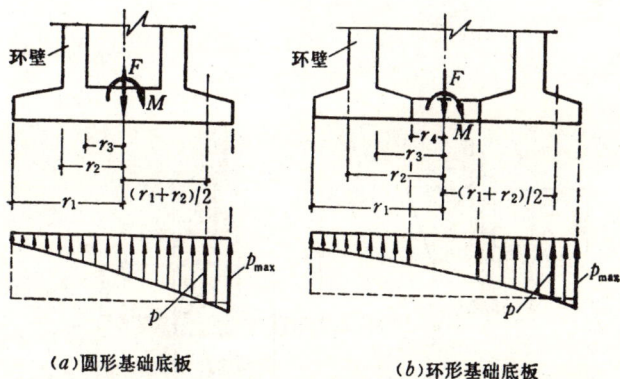

（a）圆形基础底板　　　　　　　（b）环形基础底板

图 6.3.4　圆形、环形基础的基底荷载计算简图

式中　N——上部结构传至基础的轴向力设计值（不包括基础底

板自重及基础底板上的土重）；

M——上部结构传至基础的力矩设计值；

A——基础底板的面积；

I——基础底板的惯性矩。

注：对基底部分脱开的基础，除基底压力分布的计算不同外，底板强度计算时 p 的取法相同。

第四节 基础的抗拔稳定和抗滑稳定

第 6.4.1 条 承受上拔力和横向力的各类独立基础、锚板基础等应验算抗拔和抗滑稳定性。

第 6.4.2 条 基础抗拔稳定计算可根据抗拔土体和基型的不同分为：土重法，适用于回填土体的基型；剪切法，适用于原状土体的基型。

注：原状土系指处于天然结构状态的粘性土和经夯实达到天然状态密实度的砂类回填土。

第 6.4.3 条 采用土重法时钢塔基础的抗拔稳定应按下式计算（图6.4.3）：

$$F \leqslant \frac{G_e}{\gamma_{R1}} + \frac{G_t}{\gamma_{R2}} \qquad (6.4.3)$$

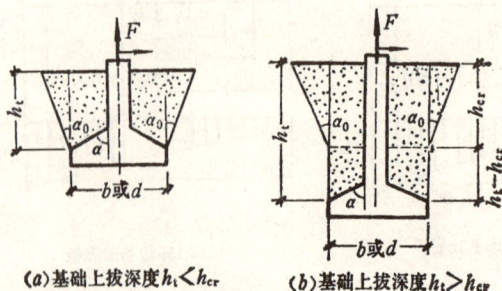

(a)基础上拔深度 $h_t < h_{cr}$ (b)基础上拔深度 $h_t > h_{cr}$

图 6.4.3 土重法基础抗拔稳定计算图

式中　F——基础的受拔力；

G_e——土体重量，按本规范附录六计算，此时土的计算重度γ_0按表6.4.3-1采用；

当基础上拔深度$h_t \leqslant h_{cr}$时，取基础底板以上、抗拔角α_0以内的土体重，图6.4.3（a）；

当基础上拔深度$h_t > h_{cr}$时，取h_{cr}以上、抗拔角α_0以内的土体重和高度为（$h_t - h_{cr}$）的土柱重之和，图6.4.3（b）；

G_f——基础重，按基础的体积计算；

α_0——土体计算的抗拔角，按表6.4.3-1采用；

h_{cr}——土重法计算的临界深度，按表6.4.3-2采用；

土的计算重力密度γ_0和土体计算抗拔角α_0　　　　表 6.4.3-1

基 土 类 别	粘土、亚粘土、轻亚粘土			粗 砂 中 砂	细 砂	粉 砂
	坚硬、硬塑	可 塑	软 塑			
γ_0(kN/m³)	17	16	15	17	16	15
α_0	25°	20°	10°	28°	26°	22°

土重法计算的临界深度　　　　表 6.4.3-2

回填土类别	密 实 情 况	临 界 深 度 h_{cr}	
		圆形基础	方形基础
砂 土	稍密的～密实的	2.5d	3.0b
粘 性 土	坚硬的～硬塑的	2.0d	2.5b
粘 性 土	可 塑 的	1.5d	2.0b
粘 性 土	软 塑 的	1.2d	1.5b

注：① 上拔时的临界深度h_{cr}即为土体整体破坏的计算深度。
　　② d、b分别为圆形基础的直径和方形基础的边长。
　　③ 当矩形基础的长边l与短边b之比小于3时，可折算为$d = 0.6(b + l)$后，按圆形基础的临界深度h_{cr}采用。

γ_{R1}——土体重的抗拔稳定系数，一般情况可采用1.7。当

专业规范（规程）有详细规定时,可按专业规范（规程）采用;

γ_{R2}——基础重的抗拔稳定系数,一般情况可采用1.2。

注: 公式(6.4.3)对非松散砂类土适用于$h/b \leqslant 5.0$和$h_t/d \leqslant 4.0$;对粘性土适用于$h_t/b \leqslant 4.5$和$h/d \leqslant 3.5$。

第6.4.4条 采用土重法时倾斜拉绳锚板基础的抗拔稳定应按下式计算(图6.4.4):

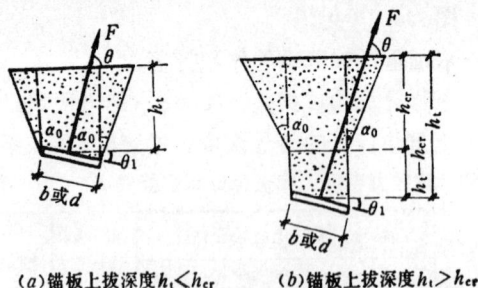

(a)锚板上拔深度$h_t < h_{cr}$　　　(b)锚板上拔深度$h_t > h_{cr}$

图 6.4.4 拉绳锚板基础的抗拔稳定计算简图

$$F\sin\theta \leqslant \frac{G_e}{\gamma_{R1}} + \frac{G_f}{\gamma_{R2}} \qquad (6.4.4)$$

式中　F——垂直于锚板的拉绳拔力;

　　　G_e——土体重量,可按本规范附录六计算;

　　　G_f——拉绳锚板基础重;

　　　θ——拔力F与水平地面的夹角;

γ_{R1}、γ_{R2}——同第6.4.3条。

注: 公式(6.4.4)仅适用于$\theta > 45°$。

第6.4.5条 采用剪切法时基础抗拔稳定,应按下式计算:

一、当$h_t \leqslant h_{cr}$时, 图6.4.5(a)

$$F \leqslant \frac{V_e}{\gamma_{R1}} + \frac{G_f}{\gamma_{R2}} \qquad (6.4.5-1)$$

二、当$h_t > h_{cr}$时, 图6.4.5(b)

$$F \leqslant \frac{V_e + G_e}{\gamma_{R1}} + \frac{G_f}{\gamma_{R2}} \qquad (6.4.5-2)$$

当基础埋置在软塑粘土内时:

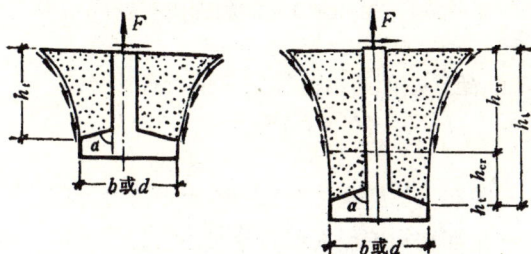

(a)基础上拔深度$h_t < h_{cr}$ (b)基础上拔深度$h_t > h_{cr}$

图 6.4.5 剪切法基础抗拔稳定计算简图

$$F \leqslant \frac{8d^2 c}{\gamma_{R1}} + \frac{G_t}{\gamma_{R2}} \qquad (6.4.5\text{-}3)$$

式中 V_e——土体滑动面上剪切抗力的竖向分量之和，可按本规
范附录六计算；

       G_t——基础重，按基础的体积计算；

       G_e——当$h_t > h_{cr}$时，在$h_t - h_{cr}$范围内土柱的重量，可按本
规范附录六计算；

    h_{cr}——剪切法计算的临界深度，按表6.4.5采用；

剪切法计算的临界深度   表 6.4.5

基 土 类 别	密 实 情 况	临界深度 h
碎石、粗中砂	稍密的～密实的	$4.0d \sim 3.0d$
细砂、粉砂	稍密的～密实的	$3.0d \sim 2.5d$
粘 性 土	坚硬的～可塑的	$3.5d \sim 2.5d$
粘 性 土	可塑的～软塑的	$2.5d \sim 1.5d$

    c——凝聚力，按本规范附录六采用；

   γ_{R1}——土体滑动面上剪切抗力V_e、土柱重的抗拔稳定系
数，一般情况采用1.7。当专业规范（规程）有详
细规定时，可按专业规范（规程）采用；

   γ_{R2}——基础重的抗拔稳定系数，一般情况采用1.2。

注：公式（6.4.5-1）、（6.4.5-2）对非松散砂类土适用于 $h_t/d \leqslant 4.0$，对粘性土适用于 $h_t/d \leqslant 3.5$。

第 6.4.6 条 基础的抗滑稳定应按下式计算：

$$H \leqslant \frac{(N+G)\mu}{1.3} \qquad (6.4.6)$$

式中 H ——基底上部结构传至基础的水平力设计值（kN）；

N ——上部结构传至基础的竖向力设计值（kN）；

G ——基础重包括基础上的土重（kN）；

μ ——基础底面对地基的摩擦系数，可按现行国家标准《建筑地基基础设计规范》的规定采用。

注：基础抗滑稳定也可按弧形滑移面进行计算。

附录一 钢材及连接的强度设计值

钢材的强度设计值（N/mm²） 附表 1.1

钢 号	组 别	钢材厚度或直径（mm）	抗拉、抗压、抗弯 f	抗 剪 f_v	端面承压（刨平顶紧）f_{ce}
3 号 钢	第 1 组	—	215	125	320
	第 2 组	—	200	115	320
	第 3 组	—	190	110	320
16Mn钢 16Mnq钢	—	≤16	315	185	445
	—	17～25	300	175	425
	—	26～36	290	170	410
15MnV钢 15MnVq钢	—	≤16	350	205	450
	—	17～25	335	195	435
	—	26～36	320	185	415

注：3号镇静钢第1、2组钢材的抗拉、抗压、抗弯以及抗剪强度设计值，应按表中的数值增加5%。

3号钢材分组尺寸 （mm） 附表 1.2

组 别	圆钢、方钢和扁钢的直径或厚度	角钢、工字钢、槽钢和钢管的厚度	钢板的厚度
第 1 组	≤40	≤15	≤20
第 2 组	>40～100	>15～20	>20～40
第 3 组		>20	>40～50

注：工字钢和槽钢的厚度系指腹板厚度。

焊缝的强度设计值 (N/mm²)

焊条型号	构件钢号	组别	厚度或直径 (mm)	对接焊缝 抗压 f_c^w	满足《钢结构工程施工及验收规范》中下列级别焊缝的检验质量标准时抗拉和抗弯 f_t^w I、II级	III级	抗剪 f_v^w	角焊缝 抗拉、抗压和抗剪 f_f^w
自动焊、半自动焊和用E43××型焊条的手工焊	3号钢	第1组	—	215	215	185	125	160
		第2组	—	200	200	170	115	160
		第3组	—	190	190	160	110	160
自动焊、半自动焊和用E50××型焊条的手工焊	16Mn钢	—	≤16	315	315	270	185	200
	16Mnq钢	—	17~25	300	300	255	175	200
		—	26~36	290	290	245	170	200
自动焊、半自动焊和用E55××型焊条的手工焊	16MnV钢	—	≤16	350	350	300	205	220
	15MnVq钢	—	17~25	335	335	285	195	220
		—	26~36	320	320	270	185	220

螺栓连接的强度设计值 （N/mm²）

螺栓的钢号（或强度等级）和构件的钢号	构件钢材 组别	厚度(mm)	普通螺栓 粗制螺栓 抗拉 f_t^b	粗制螺栓 抗剪 f_v^b	粗制螺栓 承压 f_c^b	精制螺栓 抗拉 f_t^b	精制螺栓 抗剪I类孔 f_v^b	精制螺栓 承压I类孔 f_c^b	铆栓 抗拉 f_t^b	承压型高强度螺栓 承压强度 抗剪 f_v^b	承压型高强度螺栓 承压强度 承压 f_c^b
普通螺栓 3号钢	—	—	170	130	—	170	170	—	—	—	—
铆栓 3号钢	—	—	—	—	—	—	—	—	140	—	—
铆栓 16Mn钢	—	—	—	—	—	—	—	—	190	—	—
承压型高强度螺栓 8.8级	—	—	—	—	—	—	—	—	—	250	—
承压型高强度螺栓 10.9级	—	—	—	—	—	—	—	—	—	310	—
构件 3号钢	第1~3组	—	—	—	305	—	—	400	—	—	465
构件 16Mn钢	—	≤16	—	—	420	—	—	550	—	—	640
16Mnq钢	—	17~25	—	—	400	—	—	530	—	—	615
	—	26~36	—	—	385	—	—	510	—	—	590
15MnV钢	—	≤16	—	—	435	—	—	570	—	—	665
15MnVq钢	—	17~25	—	—	420	—	—	550	—	—	640
	—	26~36	—	—	400	—	—	530	—	—	615

强度设计值折减系数 附表 1.5

构件或连接的条件	折 减 系 数
一、单面连接的单角钢	
1.按轴心受力计算强度和连接	0.85
2.按轴心受压计算稳定性 等边角钢	$0.6+0.0015\lambda\sqrt{f_y/235}$ 但不大于1.0
短边相连的不等边角钢	$0.5+0.0025\lambda\sqrt{f_y/235}$ 但不大于1.0
长边相连的不等边角钢	0.70
二、施工条件较差的高空安装焊缝和 铆钉连接	0.90

注：① λ 为对中间无联系的单角钢压杆按最小回转半径计算的长细比，当
      $\lambda<20$时，取 $\lambda=20$。
   ② f_y 为钢材的屈服强度：
      对3号钢取 $235\,\mathrm{N/mm^2}$；
      对16Mn钢、16Mnq钢取 $345\,\mathrm{N/mm^2}$；
      对15MnV钢、15MnVq钢取 $390\,\mathrm{N/mm^2}$。
   ③ 当几种情况同时存在时，其折减系数应连乘。

钢 丝 绳 弹 性 模 量 附表 1.6

钢丝绳类型	弹 性 模 量 $E_s(\mathrm{N/mm^2})$
单股钢丝绳	1.8×10^5
单股钢丝绳 （中间为钢丝）	1.4×10^5
多股钢丝绳 （中间为有机芯）	1.2×10^5

附录二 轴心受压钢构件的稳定系数

轴心受压钢构件的截面分类

截面类别	截面形式和对应轴线
a 类	轧 制
b 类	双角钢 双角钢
	等边角钢 等边角钢
	格构式 格构式
	格构式 格构式

75

λ	0	1.0	2.0	3.0	4.0	5.0	6.0	7.0	8.0	9.0
0	1.000	1.000	1.000	1.000	0.999	0.999	0.998	0.998	0.997	0.996
10	0.995	0.994	0.993	0.992	0.991	0.989	0.988	0.986	0.985	0.983
20	0.981	0.979	0.977	0.976	0.974	0.972	0.970	0.968	0.966	0.964
30	0.963	0.961	0.959	0.957	0.955	0.952	0.950	0.948	0.946	0.944
40	0.941	0.939	0.937	0.934	0.932	0.929	0.927	0.924	0.921	0.919
50	0.916	0.913	0.910	0.907	0.904	0.900	0.897	0.894	0.890	0.886
60	0.883	0.879	0.875	0.871	0.867	0.863	0.858	0.854	0.849	0.844
70	0.839	0.834	0.829	0.324	0.818	0.813	0.807	0.801	0.795	0.789
80	0.783	0.776	0.770	0.763	0.757	0.750	0.743	0.736	0.728	0.721
90	0.714	0.706	0.699	0.691	0.684	0.676	0.668	0.661	0.653	.0645
100	0.638	0.630	0.622	0.615	0.607	0.600	0.592	0.585	0.577	0.570
110	0.563	0.555	0.548	0.541	0.534	0.527	0.520	0.514	0.507	0.500
120	0.494	0.488	0.481	0.475	0.469	0.463	0.457	0.457	0.445	0.440
130	0.434	0.429	0.423	0.418	0.412	0.407	0.402	0.397	0.392	0.387
140	0.383	0.378	0.373	0.369	0.364	0.360	0.356	0.351	0.347	0.343
150	0.339	0.335	0.331	0.327	0.323	0.320	0.316	0.312	0.309	0.305
160	0.302	0.298	0.295	0.292	0.289	0.285	0.282	0.279	0.276	0.273
170	0.270	0.267	0.264	0.262	0.259	0.256	0.253	0.251	0.248	0.246
180	0.243	0.241	0.238	0.236	0.233	0.231	0.229	0.226	0.224	0.222
190	0.220	0.218	0.215	0.213	0.211	0.209	0.207	0.205	0.203	0.201
200	0.199	0.198	0.196	0.194	0.192	0.190	0.189	0.187	0.185	0.183
210	0.182	0.180	0.179	0.177	0.175	0.174	0.172	0.171	0.169	0.168
220	0.166	0.165	0.164	0.162	0.161	0.159	0.158	0.157	0.155	0.154
230	0.153	0.152	0.150	0.149	0.148	0.147	0.146	0.144	0.143	0.142
240	0.141	0.140	0.139	0.138	0.136	0.135	0.134	0.133	0.132	0.131
250	0.130									

3号钢 b类截面轴心受压构件的稳定系数 φ

λ	0	1.0	2.0	3.0	4.0	5.0	6.0	7.0	8.0	9.0
0	1.000	1.000	1.000	0.999	0.999	0.998	0.997	0.996	0.995	0.994
10	0.992	0.991	0.989	0.987	0.985	0.983	0.981	0.978	0.976	0.973
20	0.970	0.967	0.963	0.960	0.957	0.953	0.950	0.946	0.943	0.939
30	0.936	0.932	0.929	0.925	0.922	0.918	0.914	0.910	0.906	0.903
40	0.899	0.895	0.891	0.887	0.882	0.878	0.874	0.870	0.865	0.861
50	0.856	0.852	0.847	0.842	0.838	0.833	0.828	0.823	0.818	0.813
60	0.807	0.802	0.797	0.791	0.786	0.780	0.774	0.769	0.763	0.757
70	0.751	0.745	0.739	0.732	0.726	0.720	0.714	0.707	0.701	0.694
80	0.688	0.681	0.675	0.667	0.661	0.655	0.648	0.641	0.635	0.628
90	0.621	0.614	0.608	0.601	0.594	0.588	0.581	0.575	0.568	0.561
100	0.555	0.549	0.542	0.536	0.529	0.523	0.517	0.511	0.505	0.499
110	0.493	0.487	0.481	0.475	0.470	0.464	0.458	0.453	0.447	0.442
120	0.437	0.432	0.426	0.421	0.416	0.411	0.406	0.402	0.397	0.392
130	0.387	0.383	0.378	0.374	0.370	0.365	0.361	0.357	0.353	0.349
140	0.345	0.341	0.337	0.333	0.329	0.326	0.322	0.318	0.315	0.311
150	0.308	0.304	0.301	0.298	0.295	0.291	0.288	0.285	0.282	0.279
160	0.276	0.273	0.270	0.267	0.265	0.262	0.259	0.256	0.254	0.251
170	0.249	0.246	0.244	0.241	0.239	0.236	0.234	0.232	0.229	0.227
180	0.225	0.223	0.220	0.218	0.216	0.214	0.212	0.210	0.208	0.206
190	0.204	0.202	0.200	0.198	0.197	0.195	0.193	0.191	0.190	0.188
200	0.186	0.184	0.183	0.181	0.180	0.178	0.176	0.175	0.173	0.172
210	0.170	0.169	0.167	0.166	0.165	0.163	0.162	0.160	0.159	0.158
220	0.156	0.155	0.154	0.153	0.151	0.150	0.149	0.148	0.146	0.145
230	0.144	0.143	0.142	0.141	0.140	0.138	0.137	0.136	0.135	0.134
240	0.133	0.132	0.131	0.130	0.129	0.128	0.127	0.126	0.125	0.124
250	0.123									

16Mn钢、16Mnq钢 a 类截面轴心受压构件的稳定系数 φ 附表 2.4

λ	0	1.0	2.0	3.0	4.0	5.0	6.0	7.0	8.0	9.0
0	1.000	1.000	1.000	0.999	0.999	0.998	0.997	0.997	0.996	0.994
10	0.993	0.992	0.990	0.988	0.986	0.984	0.982	0.980	0.978	0.975
20	0.973	0.971	0.969	0.967	0.904	0.962	0.960	0.957	0.955	0.952
30	0.950	0.917	0.944	0.941	0.939	0.936	0.933	0.930	0.927	0.923
40	0.920	0.917	0.913	0.909	0.906	0.902	0.898	0.894	0.889	0.885
50	0.831	0.876	0.871	0.866	0.861	0.856	0.850	0.844	0.838	0.832
60	0.825	0.819	0.812	0.806	0.798	0.791	0.783	0.775	0.767	0.759
70	0.751	0.742	0.734	0.725	0.716	0.707	0.698	0.689	0.680	0.671
80	0.661	0.652	0.643	0.633	0.624	0.615	0.606	0.596	0.587	0.578
90	0.570	0.561	0.552	0.543	0.535	0.527	0.518	0.510	0.502	0.494
100	0.487	0.479	0.471	0.464	0.457	0.450	0.443	0.436	0.429	0.423
110	0.416	0.410	0.404	0.398	0.392	0.386	0.380	0.374	0.369	0.363
120	0.358	0.353	0.348	0.343	0.338	0.333	0.328	0.324	0.319	0.315
130	0.310	0.306	0.302	0.298	0.294	0.290	0.286	0.282	0.278	0.275
140	0.271	0.268	0.264	0.261	0.257	0.254	0.251	0.248	0.245	0.242
150	0.239	0.236	0.233	0.230	0.227	0.224	0.222	0.219	0.217	0.214
160	0.212	0.209	0.207	0.204	0.202	0.200	0.197	0.195	0.193	0.191
170	0.189	0.187	0.184	0.182	0.180	0.179	0.177	0.175	0.173	0.171
180	0.169	0.167	0.166	0.164	0.162	0.161	0.159	0.157	0.156	0.154
190	0.153	0.151	0.150	0.148	0.147	0.145	0.144	0.142	0.141	0.140
200	0.138	0.137	0.136	0.134	0.133	0.132	0.131	0.129	0.128	0.127
210	0.126	0.125	0.124	0.123	0.121	0.120	0.119	0.118	0.117	0.116
220	0.115	0.114	0.113	0.112	0.111	0.110	0.109	0.108	0.107	0.106
230	0.106	0.105	0.104	0.103	0.102	0.101	0.100	0.0996	0.0988	0.0980
240	0.0972	0.0964	0.0957	0.0949	0.0942	0.0934	0.0927	0.0919	0.0912	0.0905
250	0.0898									

16Mn钢、16Mnq钢b类截面轴心受压构件的稳定系数φ 附表 2.5

λ	0	1.0	2.0	3.0	4.0	5.0	6.0	7.0	8.0	9.0
0	1.000	1.000	1.000	0.999	0.998	0.997	0.996	0.995	0.993	0.991
10	0.989	0.987	0.984	0.981	0.978	0.975	0.972	0.968	0.964	0.960
20	0.956	0.952	0.948	0.943	0.939	0.935	0.931	0.926	0.922	0.917
30	0.913	0.908	0.903	0.899	0.894	0.889	0.884	0.879	0.874	0.869
40	0.863	0.858	0.853	0.847	0.841	0.835	0.829	0.823	0.817	0.811
50	0.804	0.798	0.791	0.784	0.778	0.771	0.764	0.756	0.749	0.742
60	0.734	0.727	0.719	0.711	0.704	0.696	0.688	0.680	0.672	0.664
70	0.656	0.648	0.640	0.632	0.623	0.615	0.607	0.599	0.591	0.583
80	0.575	0.567	0.559	0.551	0.544	0.536	0.528	0.521	0.513	0.506
90	0.499	0.491	0.484	0.477	0.470	0.463	0.457	0.450	0.443	0.437
100	0.431	0.424	0.418	0.413	0.406	0.400	0.395	0.389	0.384	0.378
110	0.373	0.367	0.362	0.357	0.352	0.347	0.343	0.338	0.333	0.329
120	0.324	0.320	0.315	0.311	0.307	0.303	0.299	0.295	0.291	0.287
130	0.283	0.280	0.276	0.273	0.269	0.265	0.262	0.259	0.256	0.253
140	0.249	0.246	0.243	0.240	0.237	0.235	0.232	0.229	0.226	0.224
150	0.221	0.218	0.216	0.213	0.211	0.208	0.206	0.204	0.201	0.199
160	0.197	0.195	0.193	0.190	0.188	0.186	0.184	0.182	0.180	0.178
170	0.176	0.175	0.173	0.171	0.169	0.167	0.166	0.164	0.162	0.161
180	0.159	0.157	0.156	0.154	0.153	0.151	0.150	0.148	0.147	0.145
190	0.144	0.142	0.141	0.140	0.138	0.137	0.136	0.135	0.133	0.132
200	0.131	0.130	0.128	0.127	0.126	0.125	0.124	0.123	0.122	0.120
210	0.119	0.118	0.117	0.116	0.115	0.114	0.113	0.112	0.111	0.110
220	0.109	0.108	0.108	0.107	0.106	0.105	0.104	0.103	0.102	0.101
230	0.101	0.0998	0.0990	0.0982	0.0974	0.0966	0.0959	0.0951	0.0943	0.0936
240	0.0929	0.0921	0.0914	0.0907	0.0900	0.0893	0.0886	0.0879	0.0873	0.0866
250	0.0859									

附录三 塔筒水平截面受压区半角 φ 计算表（正常使用状态时）

附表3.1为不开孔，即 $\theta = 0°$ 按式(5.4.3-5)所编制；附表3.2、3.3、3.4为开孔，分别取 $\theta = 10°$、$20°$、$30°$，按式(5.4.3-6)所编制。

截面受压区半角 φ 计算表（$\theta = 0°$）　　　　附表 3.1

ϕ（度）　e_0/r　ω	0.050	0.065	0.080	0.100	0.150	0.200	0.250	0.300	0.350	0.400
44.0	7.270									
46.0	4.382									
48.0	3.211	5.929								
50.0	2.580	3.957	7.250							
52.0	2.186	3.026	4.521							
54.0	1.918	2.485	3.347	5.549						
56.0	1.723	2.133	2.695	3.876						
58.0	1.576	1.886	2.282	3.021	8.354					
60.0	1.461	1.703	1.996	2.504	5.081					
62.0	1.369	1.562	1.788	2.158	3.705	8.104				
64.0	1.293	1.451	1.630	1.911	2.948	5.054				
66.0	1.230	1.360	1.505	1.725	2.470	3.718	6.235			
68.0	1.176	1.285	1.404	1.581	2.141	2.969	4.313	6.878		
70.0	1.129	1.222	1.321	1.465	1.901	2.490	3.329	4.619	6.860	
72.0	1.089	1.168	1.251	1.371	1.719	2.158	2.731	3.509	4.625	6.362
74.0	1.053	1.121	1.192	1.292	1.575	1.915	2.330	2.850	3.518	4.410
76.0	1.021	1.080	1.141	1.226	1.460	1.729	2.043	2.414	2.858	3.400
78.0	0.993	1.044	1.096	1.169	1.364	1.582	1.827	2.104	2.420	2.783
80.0	0.967	1.011	1.011	1.057	1.119	1.284	1.464	1.659	1.873	2.368
82.0	0.943	0.982	1.021	1.075	1.216	1.366	1.524	1.694	1.875	2.069
84.0	0.921	0.955	0.990	1.037	1.157	1.283	1.414	1.551	1.695	1.844
86.0	0.901	0.931	0.961	1.002	1.106	1.213	1.323	1.435	1.551	1.669
88.0	0.882	0.908	0.935	0.971	1.061	1.152	1.245	1.338	1.433	1.529

ϕ (度) \ $\dfrac{e_{0k}}{r}$ (ω)	0.050	0.065	0.080	0.100	0.150	0.200	0.250	0.300	0.350	0.400
90.0	0.864	0.887	0.911	0.942	1.021	1.100	1.178	1.257	1.335	1.414
92.0	0.847	0.868	0.889	0.917	0.985	1.053	1.120	1.187	1.253	1.318
94.0	0.831	0.850	0.868	0.893	0.953	1.012	1.069	1.126	1.182	1.237
96.0	0.816	0.833	0.849	0.871	0.923	0.975	1.025	1.073	0.121	1.167
98.0	0.802	0.817	0.831	0.850	0.896	0.941	0.984	0.026	1.067	1.106
100.0	0.788	0.801	0.814	0.831	0.872	0.911	0.948	0.985	1.020	1.053
102.0	0.775	0.787	0.798	0.813	0.849	0.883	0.916	0.947	0.978	1.007
104.0	0.762	0.773	0.783	0.796	0.827	0.858	0.886	0.914	0.940	0.965
106.0	0.750	0.759	0.768	0.780	0.808	0.834	0.859	0.883	0.906	0.928
108.0	0.738	0.746	0.754	0.764	0.789	0.812	0.834	0.855	0.875	0.894
110.0	0.727	0.734	0.741	0.750	0.772	0.792	0.811	0.830	0.847	0.863
112.0	0.716	0.722	0.728	0.736	0.755	0.773	0.790	0.806	0.821	0.835
114.0	0.705	0.710	0.716	0.723	0.740	0.756	0.770	0.784	0.797	0.810
116.0	0.694	0.699	0.704	0.710	0.725	0.739	0.752	0.764	0.775	0.786
118.0	0.684	0.688	0.692	0.698	0.711	0.723	0.735	0.745	0.755	0.765
120.0	0.674	0.678	0.681	0.686	0.698	0.708	0.718	0.728	0.736	0.744
122.0	0.664	0.667	0.671	0.675	0.685	0.694	0.703	0.711	0.719	0.726
124.0	0.655	0.658	0.660	0.664	0.673	0.681	0.689	0.696	0.702	0.708
126.0	0.645	0.648	0.650	0.654	0.661	0.668	0.675	0.681	0.687	0.692
128.0	0.636	0.639	0.641	0.644	0.650	0.656	0.662	0.667	0.672	0.677
130.0	0.627	0.629	0.631	0.634	0.640	0.645	0.650	0.654	0.659	0.663
132.0	0.619	0.621	0.622	0.624	0.629	0.634	0.638	0.642	0.646	0.649
134.0	0.611	0.612	0.613	0.615	0.619	0.623	0.627	0.630	0.634	0.636
136.0	0.602	0.604	0.605	0.606	0.610	0.613	0.617	0.619	0.622	0.625
138.0	0.595	0.596	0.597	0.598	0.601	0.604	0.607	0.609	0.611	0.613
140.0	0.587	0.588	0.589	0.590	0.592	0.595	0.597	0.599	0.601	0.603
142.0	0.580	0.580	0.581	0.582	0.584	0.586	0.588	0.590	0.591	0.593
144.0	0.572	0.573	0.574	0.574	0.576	0.578	0.579	0.581	0.582	0.584
146.0	0.565	0.566	0.566	0.567	0.569	0.570	0.571	0.573	0.574	0.575
148.0	0.559	0.559	0.560	0.560	0.561	0.563	0.564	0.565	0.566	0.566
150.0	0.552	0.553	0.553	0.554	0.555	0.556	0.556	0.557	0.558	0.559
152.0	0.546	0.547	0.547	0.547	0.548	0.549	0.550	0.550	0.551	0.551
154.0	0.541	0.541	0.541	0.541	0.542	0.543	0.543	0.544	0.544	0.545

ϕ (度) \ ω, $\dfrac{e_{0k}}{r}$	0.050	0.065	0.080	0.100	0.150	0.200	0.250	0.300	0.350	0.400
156.0	0.535	0.535	0.536	0.536	0.536	0.537	0.537	0.538	0.538	0.538
158.0	0.530	0.530	0.530	0.530	0.531	0.531	0.532	0.532	0.532	0.532
160.0	0.525	0.525	0.525	0.526	0.526	0.526	0.526	0.527	0.527	0.527
162.0	0.521	0.521	0.511	0.521	0.521	0.521	0.522	0.522	0.522	0.522
164.0	0.517	0.517	0.517	0.517	0.517	0.517	0.517	0.517	0.517	0.518
166.0	0.513	0.513	0.513	0.513	0.513	0.513	0.513	0.513	0.514	0.514
168.0	0.510	0.510	0.500	0.510	0.510	0.510	0.510	0.510	0.510	0.510
170.0	0.507	0.507	0.507	0.507	0.507	0.507	0.507	0.507	0.507	0.507
172.0	0.504	0.505	0.505	0.505	0.505	0.505	0.505	0.505	0.505	0.505
174.0	0.503	0.503	0.503	0.503	0.503	0.503	0.503	0.503	0.503	0.503
176.0	0.501	0.501	0.501	0.501	0.501	0.501	0.501	0.501	0.501	0.501
178.0	0.500	0.500	0.500	0.500	0.500	0.500	0.500	0.500	0.500	0.500
180.0	0.500	0.500	0.500	0.500	0.500	0.500	0.500	0.500	0.500	0.500

截面受压区半角 ϕ 计算表($\theta = 10°$)　　　　　　附表 3.2

ϕ (度) \ ω, $\dfrac{e_{0k}}{r}$	0.050	0.065	0.080	0.100	0.150	0.200	0.250	0.300	0.350	0.400
54.0	2.699	4.387	9.250							
56.0	2.230	3.189	5.029							
58.0	1.922	2.544	3.524	6.260						
60.0	1.706	2.142	2.753	4.092						
62.0	1.545	1.867	2.286	3.085	9.630					
64.0	1.421	1.669	1.973	2.505	5.350					
66.0	1.322	1.518	1.749	2.129	3.757	8.779				
68.0	1.242	1.400	1.580	1.865	2.927	5.155				
70.0	1.176	1.305	1.449	1.669	2.419	3.692	6.330			
72.0	1.119	1.227	1.345	1.519	2.076	2.902	4.256	6.885		
74.0	1.071	1.162	1.259	1.400	1.829	2.408	3.234	4.510	6.740	
76.0	1.029	1.106	1.187	1.304	1.642	2.070	2.626	3.381	4.462	6.141
78.0	0.992	1.058	1.126	1.224	1.497	1.825	2.224	2.722	3.360	4.206

φ (度) \ $\frac{e_{0k}}{r}$ ω	0.050	0.065	0.080	0.100	0.150	0.200	0.250	0.300	0.350	0.400
80.0	0.959	1.016	1.074	1.156	1.380	1.638	1.938	2.290	2.710	3.219
82.0	0.929	0.978	1.029	1.098	1.285	1.492	1.724	1.985	2.282	2.621
84.0	0.903	0.945	0.989	1.048	1.205	1.374	1.559	1.759	1.979	2.220
86.0	0.878	0.915	0.953	1.004	1.137	1.277	1.426	1.585	1.753	1.932
88.0	0.856	0.888	0.921	0.965	1.078	1.196	1.319	1.446	1.578	1.716
90.0	0.835	0.863	0.892	0.930	1.028	1.127	1.229	1.333	1.439	1.548
92.0	0.815	0.840	0.865	0.899	0.983	1.068	1.153	1.239	1.326	1.414
94.0	0.797	0.819	0.841	0.870	0.943	1.016	1.088	1.160	1.232	1.303
96.0	0.780	0.798	0.818	0.844	0.907	0.970	1.032	1.092	1.152	1.212
98.0	0.764	0.781	0.798	0.820	0.875	0.929	0.982	1.034	1.084	1.134
100.0	0.748	0.763	0.778	0.798	0.846	0.893	0.938	0.982	1.025	1.067
102.0	0.733	0.747	0.760	0.777	0.819	0.860	0.899	0.937	0.974	1.009
104.0	0.719	0.731	0.743	0.758	0.795	0.830	0.864	0.897	0.928	0.958
106.0	0.706	0.716	0.726	0.740	0.772	0.803	0.833	0.861	0.888	0.914
108.0	0.693	0.702	0.711	0.723	0.751	0.778	0.804	0.828	0.851	0.874
110.0	0.680	0.688	0.696	0.706	0.731	0.755	0.777	0.799	0.819	0.838
112.0	0.668	0.675	0.682	0.691	0.713	0.734	0.753	0.772	0.789	0.806
114.0	0.656	0.662	0.668	0.677	0.696	0.714	0.731	0.747	0.762	0.776
116.0	0.645	0.650	0.656	0.663	0.679	0.695	0.710	0.724	0.737	0.749
118.0	0.633	0.638	0.643	0.649	0.664	0.678	0.691	0.703	0.714	0.725
120.0	0.623	0.627	0.631	0.637	0.649	0.662	0.673	0.683	0.693	0.702
122.0	0.612	0.616	0.620	0.624	0.636	0.646	0.656	0.665	0.674	0.682
124.0	0.602	0.605	0.608	0.613	0.622	0.632	0.640	0.648	0.655	0.662
126.0	0.592	0.595	0.598	0.601	0.610	0.618	0.625	0.632	0.638	0.644
128.0	0.582	0.585	0.587	0.590	0.598	0.605	0.611	0.617	0.622	0.628
130.0	0.573	0.575	0.577	0.580	0.586	0.592	0.598	0.603	0.608	0.612
132.0	0.564	0.566	0.568	0.570	0.575	0.580	0.585	0.590	0.594	0.597
134.0	0.555	0.557	0.558	0.560	0.565	0.569	0.573	0.577	0.580	0.584
136.0	0.546	0.548	0.549	0.551	0.555	0.559	0.562	0.565	0.568	0.571
138.0	0.538	0.539	0.540	0.542	0.545	0.548	0.551	0.554	0.556	0.559
140.0	0.530	0.531	0.532	0.533	0.536	0.539	0.541	0.543	0.546	0.547
142.0	0.522	0.523	0.524	0.525	0.527	0.529	0.532	0.533	0.535	0.537
144.0	0.515	0.515	0.516	0.517	0.519	0.521	0.522	0.524	0.525	0.527

ϕ (度) $\diagdown$ $\dfrac{e_{0k}}{r}$ $\diagdown \omega$	0.050	0.065	0.080	0.100	0.150	0.200	0.250	0.300	0.350	0.400
146.0	0.507	0.508	0.508	0.509	0.511	0.512	0.514	0.515	0.516	0.517
148.0	0.500	0.501	0.501	0.502	0.503	0.504	0.506	0.507	0.508	0.509
150.0	0.494	0.494	0.494	0.495	0.496	0.497	0.498	0.499	0.500	0.500
152.0	0.487	0.488	0.488	0.488	0.489	0.490	0.491	0.491	0.492	0.493
154.0	0.481	0.481	0.482	0.482	0.483	0.483	0.484	0.484	0.485	0.485
156.0	0.475	0.476	0.476	0.476	0.477	0.477	0.477	0.478	0.478	0.479
158.0	0.470	0.470	0.470	0.470	0.471	0.471	0.472	0.472	0.472	0.472
160.0	0.465	0.465	0.465	0.465	0.466	0.466	0.466	0.466	0.467	0.467
162.0	0.460	0.460	0.460	0.460	0.461	0.461	0.461	0.461	0.461	0.462
164.0	0.456	0.456	0.456	0.456	0.456	0.456	0.457	0.457	0.457	0.457
166.0	0.452	0.452	0.452	0.452	0.452	0.452	0.452	0.453	0.453	0.453
168.0	0.449	0.449	0.449	0.449	0.449	0.449	0.449	0.449	0.449	0.449
170.0	0.446	0.446	0.446	0.446	0.446	0.446	0.446	0.446	0.446	0.446
172.0	0.443	0.443	0.443	0.443	0.443	0.443	0.443	0.443	0.443	0.443
174.0	0.441	0.441	0.441	0.441	0.441	0.441	0.441	0.441	0.441	0.441
176.0	0.440	0.440	0.440	0.440	0.440	0.440	0.440	0.440	0.440	0.440
178.0	0.439	0.439	0.439	0.439	0.439	0.439	0.439	0.439	0.439	0.439
180.0	0.438	0.438	0.438	0.438	0.438	0.438	0.438	0.438	0.438	0.438

截面受压区半角 ϕ 计算表（$\theta=20°$）　　　　附表 3.3

ϕ (度) $\diagdown$ $\dfrac{e_{0k}}{r}$ $\diagdown \omega$	0.050	0.065	0.080	0.100	0.150	0.200	0.250	0.300	0.350	0.400
54.0	8.993									
56.0	4.551									
58.0	3.124	6.073								
60.0	2.422	3.782	7.119							
62.0	2.006	2.797	4.196	9.489						
64.0	1.731	2.250	3.027	4.956						
66.0	1.536	1.903	2.399	3.411						
68.0	1.391	1.664	2.007	2.634	6.610					
70.0	1.278	1.488	1.740	2.166	4.155					

ϕ (度) \ $\dfrac{e_{0k}}{r}$ \ ω	0.050	0.065	0.080	0.100	0.150	0.200	0.250	0.300	0.350	0.400
72.0	1.188	1.355	1.547	1.855	3.064	5.938				
74.0	1.115	1.249	1.400	1.632	2.448	3.926	7.419			
76.0	1.054	1.164	1.285	1.466	2.053	2.958	4.533	7.959		
78.0	1.002	1.093	1.192	1.336	1.778	2.390	3.290	4.748	7.516	
80.0	0.957	1.034	1.115	1.233	1.576	2.016	2.598	3.407	4.606	6.567
82.0	0.918	0.983	1.051	1.148	1.421	1.752	2.158	2.672	3.341	4.247
84.0	0.883	0.939	0.996	1.077	1.299	1.555	1.854	2.208	2.633	3.154
86.0	0.852	0.900	0.949	1.017	1.199	1.403	1.631	1.889	2.182	2.519
88.0	0.824	0.865	0.907	0.965	1.117	1.282	1.460	1.656	1.869	2.104
90.0	0.799	0.834	0.871	0.920	1.048	1.183	1.326	1.478	1.640	1.812
92.0	0.775	0.806	0.838	0.880	0.988	1.100	1.217	1.338	1.464	1.595
94.0	0.754	0.781	0.808	0.844	0.937	1.031	1.127	1.225	1.326	1.428
96.0	0.734	0.757	0.781	0.812	0.892	0.971	1.051	1.132	1.213	1.295
98.0	0.715	0.736	0.756	0.784	0.852	0.920	0.987	1.054	1.121	1.187
100.0	0.697	0.715	0.733	0.757	0.816	0.874	0.931	0.987	1.043	1.097
102.0	0.681	0.697	0.712	0.733	0.784	0.834	0.882	0.930	0.976	1.022
104.0	0.665	0.679	0.693	0.711	0.755	0.798	0.839	0.880	0.919	0.957
106.0	0.650	0.662	0.674	0.690	0.728	0.766	0.801	0.836	0.869	0.901
108.0	0.635	0.646	0.657	0.670	0.704	0.736	0.767	0.796	0.825	0.852
110.0	0.621	0.631	0.640	0.652	0.682	0.709	0.736	0.761	0.785	0.809
112.0	0.608	0.616	0.625	0.635	0.661	0.685	0.708	0.730	0.750	0.770
114.0	0.595	0.603	0.610	0.619	0.641	0.662	0.682	0.701	0.719	0.736
116.0	0.583	0.589	0.596	0.604	0.623	0.641	0.659	0.675	0.690	0.705
118.0	0.571	0.576	0.582	0.589	0.606	0.622	0.637	0.651	0.664	0.676
120.0	0.559	0.564	0.569	0.575	0.590	0.604	0.617	0.629	0.640	0.651
122.0	0.548	0.552	0.556	0.562	0.575	0.587	0.598	0.608	0.618	0.627
124.0	0.537	0.541	0.544	0.549	0.560	0.571	0.580	0.589	0.598	0.606
126.0	0.527	0.530	0.533	0.537	0.547	0.556	0.564	0.572	0.579	0.586
128.0	0.516	0.519	0.522	0.525	0.534	0.541	0.549	0.555	0.561	0.567
130.0	0.506	0.509	0.511	0.514	0.521	0.528	0.534	0.540	0.545	0.550
132.0	0.497	0.499	0.501	0.503	0.510	0.515	0.520	0.525	0.530	0.534
134.0	0.487	0.489	0.491	0.493	0.498	0.503	0.508	0.512	0.516	0.519
136.0	0.478	0.480	0.481	0.483	0.488	0.492	0.495	0.499	0.502	0.505

φ(度) \ $\frac{e_{0k}}{r}$ \ ω	0.050	0.065	0.080	0.100	0.150	0.200	0.250	0.300	0.350	0.400
138.0	0.469	0.471	0.472	0.474	0.477	0.481	0.484	0.487	0.490	0.492
140.0	0.461	0.462	0.463	0.464	0.468	0.470	0.473	0.476	0.478	0.480
142.0	0.453	0.453	0.454	0.456	0.458	0.461	0.463	0.465	0.467	0.469
144.0	0.445	0.445	0.446	0.447	0.449	0.451	0.453	0.455	0.457	0.458
146.0	0.437	0.438	0.438	0.439	0.441	0.443	0.444	0.446	0.447	0.448
148.0	0.430	0.430	0.431	0.431	0.433	0.434	0.435	0.437	0.438	0.439
150.0	0.423	0.423	0.423	0.424	0.425	0.426	0.427	0.428	0.429	0.430
152.0	0.416	0.416	0.417	0.417	0.418	0.419	0.420	0.420	0.421	0.422
154.0	0.410	0.410	0.410	0.410	0.411	0.412	0.412	0.413	0.414	0.414
156.0	0.403	0.404	0.404	0.404	0.405	0.405	0.406	0.406	0.407	0.407
158.0	0.398	0.398	0.398	0.398	0.399	0.399	0.400	0.400	0.400	0.401
160.0	0.393	0.393	0.393	0.393	0.393	0.394	0.394	0.394	0.394	0.395
162.0	0.388	0.388	0.388	0.388	0.388	0.388	0.389	0.389	0.389	0.389
164.0	0.383	0.383	0.383	0.383	0.383	0.384	0.384	0.384	0.384	0.384
166.0	0.379	0.379	0.379	0.379	0.379	0.379	0.379	0.380	0.380	0.380
168.0	0.375	0.375	0.375	0.375	0.376	0.376	0.376	0.376	0.376	0.376
170.0	0.372	0.372	0.372	0.372	0.372	0.372	0.372	0.372	0.372	0.373
172.0	0.370	0.370	0.370	0.370	0.370	0.370	0.370	0.370	0.370	0.370
174.0	0.367	0.367	0.367	0.368	0.368	0.368	0.368	0.368	0.368	0.368
176.0	0.366	0.366	0.366	0.366	0.366	0.366	0.366	0.366	0.366	0.366
178.0	0.365	0.365	0.365	0.365	0.365	0.365	0.365	0.365	0.365	0.365
180.0	0.365	0.365	0.365	0.365	0.365	0.365	0.365	0.365	0.365	0.365

截面受压区半角 φ 计算表（θ = 30°）　　附表 3.4

φ(度) \ $\frac{e_{0k}}{r}$ \ ω	0.050	0.065	0.080	0.100	0.150	0.200	0.250	0.300	0.350	0.400
64.0	2.985	5.945								
66.0	2.258	3.545	6.674							
68.0	1.841	2.569	3.834	8.372						
70.0	1.571	2.041	2.732	4.386						
72.0	1.382	1.711	2.148	3.015						

$\dfrac{e_{0k}}{r}$ / ω ϕ (度)	0.050	0.065	0.080	0.100	0.150	0.200	0.250	0.300	0.350	0.400
74.0	1.243	1.485	1.786	2.322	5.386					
76.0	1.136	1.321	1.540	1.904	3.493	8.729				
78.0	1.051	1.196	1.361	1.625	2.607	4.668				
80.0	0.981	1.098	1.228	1.426	2.094	3.210	5.453			
82.0	0.923	1.019	1.122	1.276	1.760	2.462	3.574	5.605		
84.0	0.874	0.953	1.037	1.160	1.524	2.006	2.671	3.651	5.236	8.238
86.0	0.831	0.897	0.967	1.066	1.350	1.700	2.142	2.718	3.501	4.626
88.0	0.794	0.850	0.908	0.989	1.215	1.480	1.793	2.172	2.638	3.225
90.0	0.762	0.809	0.858	0.925	1.108	1.314	1.547	1.814	2.121	2.480
92.0	0.732	0.772	0.814	0.871	1.021	1.185	1.364	1.561	1.778	2.019
94.0	0.705	0.740	0.775	0.823	0.948	1.081	1.222	1.373	1.533	1.705
96.0	0.681	0.711	0.741	0.782	0.887	0.996	1.109	1.227	1.350	1.478
98.0	0.659	0.685	0.711	0.745	0.834	0.924	1.017	1.111	1.208	1.306
100.0	0.638	0.661	0.683	0.713	0.788	0.864	0.940	1.017	1.094	1.172
102.0	0.619	0.638	0.658	0.683	0.748	0.812	0.875	0.938	1.001	1.063
104.0	0.601	0.618	0.634	0.657	0.712	0.766	0.819	0.872	0.923	0.974
106.0	0.584	0.598	0.613	0.632	0.680	0.726	0.771	0.815	0.857	0.899
108.0	0.568	0.580	0.593	0.610	0.651	0.690	0.728	0.765	0.801	0.836
110.0	0.552	0.563	0.574	0.589	0.624	0.658	0.691	0.722	0.752	0.781
112.0	0.538	0.547	0.557	0.569	0.600	0.629	0.657	0.684	0.709	0.733
114.0	0.523	0.532	0.540	0.551	0.578	0.603	0.627	0.649	0.671	0.692
116.0	0.510	0.517	0.525	0.534	0.557	0.579	0.599	0.619	0.637	0.654
118.0	0.497	0.503	0.510	0.518	0.538	0.556	0.574	0.591	0.606	0.621
120.0	0.485	0.490	0.496	0.503	0.520	0.536	0.551	0.565	0.579	0.591
122.0	0.472	0.477	0.482	0.488	0.503	0.516	0.530	0.542	0.554	0.564
124.0	0.461	0.465	0.469	0.475	0.487	0.499	0.510	0.521	0.531	0.540
126.0	0.450	0.453	0.457	0.461	0.472	0.483	0.492	0.501	0.510	0.517
128.0	0.439	0.442	0.445	0.449	0.458	0.467	0.475	0.483	0.490	0.497
130.0	0.428	0.431	0.433	0.437	0.445	0.453	0.460	0.466	0.472	0.478
132.0	0.418	0.420	0.422	0.425	0.432	0.439	0.445	0.450	0.456	0.460
134.0	0.408	0.410	0.412	0.414	0.420	0.426	0.431	0.436	0.440	0.444
136.0	0.398	0.400	0.402	0.404	0.409	0.414	0.418	0.422	0.426	0.429
138.0	0.389	0.391	0.392	0.394	0.398	0.402	0.406	0.409	0.412	0.415

ϕ (度) \ $\dfrac{e_{0k}}{r}$ ω	0.050	0.065	0.080	0.100	0.150	0.200	0.250	0.300	0.350	0.400
140.0	0.380	0.381	0.383	0.384	0.388	0.391	0.394	0.397	0.399	0.402
142.0	0.372	0.373	0.374	0.375	0.378	0.381	0.383	0.385	0.388	0.390
144.0	0.363	0.364	0.365	0.366	0.368	0.371	0.373	0.375	0.377	0.378
146.0	0.355	0.356	0.357	0.357	0.359	0.361	0.363	0.365	0.366	0.368
148.0	0.348	0.348	0.349	0.349	0.351	0.353	0.354	0.355	0.356	0.358
150.0	0.340	0.341	0.341	0.342	0.343	0.344	0.345	0.346	0.347	0.348
152.0	0.333	0.334	0.334	0.334	0.335	0.336	0.337	0.338	0.339	0.340
154.0	0.327	0.327	0.327	0.327	0.328	0.329	0.330	0.330	0.331	0.332
156.0	0.320	0.320	0.321	0.321	0.322	0.322	0.323	0.323	0.324	0.324
158.0	0.314	0.315	0.315	0.315	0.315	0.316	0.316	0.317	0.317	0.317
160.0	0.309	0.309	0.309	0.309	0.310	0.310	0.310	0.311	0.311	0.311
162.0	0.304	0.304	0.304	0.304	0.304	0.305	0.305	0.305	0.305	0.305
164.0	0.299	0.299	0.299	0.299	0.299	0.300	0.300	0.300	0.300	0.300
166.0	0.295	0.295	0.295	0.295	0.295	0.295	0.295	0.295	0.295	0.296
168.0	0.291	0.291	0.291	0.291	0.291	0.291	0.291	0.291	0.291	0.291
170.0	0.288	0.288	0.288	0.288	0.288	0.288	0.288	0.288	0.288	0.288
172.0	0.285	0.285	0.285	0.285	0.285	0.285	0.285	0.285	0.285	0.285
174.0	0.283	0.283	0.283	0.283	0.283	0.283	0.283	0.283	0.283	0.283
176.0	0.281	0.281	0.281	0.281	0.281	0.281	0.281	0.281	0.281	0.281
178.0	0.280	0.280	0.280	0.280	0.280	0.280	0.280	0.280	0.280	0.280
180.0	0.280	0.280	0.280	0.280	0.280	0.280	0.280	0.280	0.280	0.280

附录四 圆筒形塔的附加弯矩计算

（一）由于风荷载、日照和基础倾斜的作用（附图4.1），塔筒线分布重力q和局部集中重力G_j对塔筒任意截面i所产生的附加弯矩ΔM_i，可按下式计算：

$$\Delta M_i = \frac{q(H-h_i)^2}{2}\left[\frac{H+2h_i}{3}\left(\frac{1}{r_c}+\frac{\alpha_T \Delta t}{d}\right)+\text{tg}\theta\right]$$

$$+\sum_{j=i+1}^{n}G_j(h_j-h_i)\left[\frac{h_j+h_i}{2}\left(\frac{1}{r_c}+\frac{\alpha_T \Delta t}{d}\right)\right.$$

$$\left.+\text{tg}\theta\right] \tag{附4.1}$$

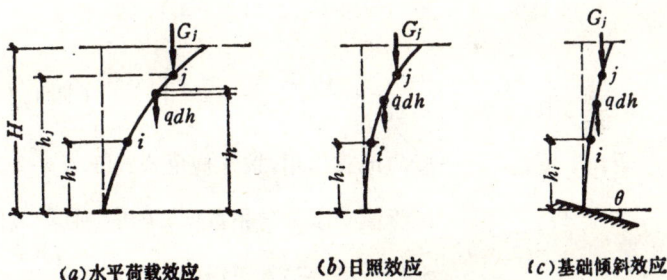

（a）水平荷载效应　　（b）日照效应　　（c）基础倾斜效应

附图 4.1　附加弯矩计算简图

式中　　q——离塔筒顶$\dfrac{H-h_i}{3}$处的折算分布重力，可按本附录

第（三）款计算；

H——塔筒高度；

h_i——计算截面i的高度；

G_j——塔筒j点的集中重力；

h_j —— 塔筒 j 点的高度；

$\dfrac{1}{r_c}$ —— 塔筒代表截面处的弯曲变形曲率，按本附录第（五）款计算，代表截面位置按第（六）款确定；

a_T —— 钢筋混凝土的线膨胀系数；

Δt —— 日照温差，应按实测数据采用，当无实测数据时可按20℃采用；

d —— 高度为 $0.4H$ 处的塔筒外径；

$\mathrm{tg}\theta$ —— 基础倾斜值，按计算值或允许值采用。

（二）由于地震、风荷载、日照和基础倾斜的作用，塔筒线分布重力 q 和局部集中重力 G_j 对塔筒任意截面 i 所产生的附加弯矩 ΔM_i，可按下式计算：

$$\Delta M_i = \frac{(q + F_{iq})(H - h_i)^2}{2}\left[\frac{H + 2h_i}{3}\left(\frac{1}{r_c} + \frac{a_T \Delta t}{d}\right)\right.$$

$$\left. + \mathrm{tg}\theta\right] + \sum_{j=i+1}^{\cdot}(G_j + F_{viG_j})(h_j - h_i)$$

$$\times\left[\frac{h_j + h_i}{2}\left(\frac{1}{r_c} + \frac{a_T \Delta t}{d}\right) + \mathrm{tg}\theta\right] \qquad （附4.2）$$

式中 F_{viq}、F_{viG_j} —— 竖向地震作用，按本规范公式(3.4.5-2)的计算值乘以分项系数0.5采用，且 F_{viq} 按本附录第（三）款算得的离塔筒顶 $\dfrac{H - h_i}{3}$ 处的折算线分布重力 q 计算，其正负号应与截面计算中的竖向地震力相适应。

（三）计算截面 i 的附加弯矩时，其折算线分布重力 q 值可按下式计算：

$$q = \frac{2(H - h_i)}{3H}(q_0 - q_n) + q_n \qquad （附4.3）$$

式中 q_n —— 塔筒顶部的线分布重力，可取塔筒顶部一节的平均

90

线分布重力（不包括桅杆天线和局部集中重力）；

q_0——整个塔筒的平均线分布重力（不包括桅杆天线和局部集中重力）。

（四）塔筒代表截面处轴向力对塔筒截面中心的相对偏心距，应按下列公式计算：

1. 承载能力极限状态

$$\frac{e_0}{r} = \frac{M + \Delta M}{N \cdot r} \qquad （附4.4-1）$$

2. 正常使用极限状态

$$\frac{e_{0k}}{r} = \frac{M_k + \Delta M_k}{N_k \cdot r} \qquad （附4.4-2）$$

式中 r——塔筒代表截面处的平均半径。

注：M 和 M_k 中由桅杆受风荷载产生的部分应分别乘以系数1.4和1.2（下同）。

（五）由风荷载和附加弯矩产生于塔筒代表截面处的弯曲变形曲率 $\dfrac{1}{r_c}$ 可按下列公式计算：

1. 承载能力极限状态

当 $\dfrac{e_0}{r} \leqslant 0.5$ 时

$$\frac{1}{r_c} = \frac{M + \Delta M}{0.33 E_c I} \qquad （附4.5-1）$$

$$\Delta M = \frac{\dfrac{q(H-h_i)^2}{2}\left[\dfrac{H+2h_i}{3}\left(\dfrac{M}{0.33E_cI} + \dfrac{a_T \Delta t}{d}\right) + \text{tg}\theta\right]}{1 - \dfrac{q(H-h_i)^2}{2}\ \dfrac{H+2h_i}{3}\ \dfrac{1}{0.33E_cI}}$$

$$+ \frac{\displaystyle\sum_{j=i+1}^{n} G_j(h_j - h_i)\left[\dfrac{h_j+h_i}{2}\left(\dfrac{M}{0.33E_cI} + \dfrac{a_T\Delta t}{d} + \text{tg}\theta\right)\right]}{-\displaystyle\sum_{j=i+1}^{n} G_j(h_j - h_i)\ \dfrac{h_j+h_i}{2}\ \dfrac{1}{0.33E_cI}}$$

$$（附4.5-2）$$

91

当 $\dfrac{e_c}{r} > 0.5$ 时

$$\frac{1}{r_c} = \frac{M + \Delta M}{0.25 E_c I} \qquad \text{（附4.5-3）}$$

ΔM 公式同式（附4.5.2），仅将所有系数0.33改为0.25。

2.正常使用极限状态

当 $\dfrac{e_{0k}}{r} \leqslant 0.5$ 时

$$\frac{1}{r_c} = \frac{M_k + \Delta M_k}{0.65 E_c I} \qquad \text{（附4.5-4）}$$

ΔM_k 公式同式（附4.5.2），仅将所有系数0.33改为0.65。

当 $\dfrac{e_{0k}}{r} > 0.5$ 时

$$\frac{1}{r_c} = \frac{M_k + \Delta M_k}{0.4 E_c I} \qquad \text{（附4.5-5）}$$

ΔM_k 公式同式（附4.5.2），仅将所有系数0.33改为0.40。

式中　I——塔筒代表截面处的截面惯性矩；

　　　E_c——混凝土弹性模量。

求出代表截面的 $\dfrac{1}{r_c}$ 后，任意截面的 ΔM_i 可直接按式（附4.1）或式（附4.2）计算。

由地震作用、部分风荷载和附加弯矩产生于塔筒代表截面处的弯曲变形曲率 $\dfrac{1}{r_c}$，可按下式计算：

$$\frac{1}{r_c} = \frac{M + \Delta M}{0.25 E_c I} \qquad \text{（附4.5-6）}$$

式中　M——塔筒截面弯矩，其中由水平地震作用所产生的部分应乘以系数1.3，由风荷载产生的部分应乘以系数1.4。

ΔM 公式同式（附4.5.2），仅将所有系数0.33改为0.25，又将 q 改为 $(q + F_{viq})$，G_j 改为 $(G_j + F_{viG_j})$。

（六）塔筒代表截面的位置按下列规定采用：

当塔筒各处坡度均小于3%时，取塔身的底截面处；但当塔筒底设有孔洞时，则取该孔洞的顶截面处。

当塔筒下部有大于3%的坡度时．取坡度≤3%塔段底部的截面处，但当该处设有孔洞时，则取该孔洞的顶截面处。

附录五 在偏心荷载作用下，圆形、环形基

e/r_1	r_2/r_1									
	0		0.50		0.55		0.60		0.65	
	τ	ξ	τ	ξ	τ	ξ	τ	ξ	τ	ξ
0.25	2.000	1.571								
0.26	1.960	1.539								
0.27	1.932	1.509								
0.28	1.890	1.481								
0.29	1.853	1.450								
0.30	1.820	1.421								
0.31	1.787	1.392	1.995	1.175						
0.32	1.755	1.364	1.975	1.163						
0.33	1.723	1.336	1.945	1.145	1.985	1.087				
0.34	1.692	1.308	1.915	1.127	1.960	1.073	2.000	1.005		
0.35	1.660	1.279	1.890	1.111	1.930	1.056	1.970	0.990		
0.36	1.630	1.251	1.860	1.092	1.900	1.039	1.945	0.977	1.990	0.903
0.37	1.600	1.224	1.830	1.073	1.875	1.025	1.915	0.962	1.960	0.888
0.38	1.570	1.196	1.805	1.058	1.845	1.007	1.890	0.948	1.935	0.877
0.39	1.542	1.170	1.775	1.039	1.820	0.993	1.860	0.933	1.910	0.865
0.40	1.512	1.142	1.750	1.023	1.790	0.975	1.835	0.919	1.880	0.851
0.41	1.482	1.115	1.725	1.007	1.765	0.961	1.810	0.906	1.855	0.839
0.42	1.455	1.090	1.695	0.988	1.740	0.946	1.785	0.893	1.830	0.828
0.43	1.428	1.064	1.670	0.973	1.710	0.929	1.760	0.880	1.805	0.816
0.44			1.640	0.954	1.685	0.915	1.730	0.864	1.780	0.804
0.45			1.615	0.938	1.660	0.901	1.705	0.852	1.755	0.793
0.46			1.585	0.920	1.630	0.884	1.680	0.839	1.725	0.779
0.47			1.555	0.901	1.600	0.867	1.650	0.824	1.700	0.768
0.48			1.523	0.884	1.570	0.851	1.620	0.809	1.670	0.755
0.49					1.541	0.836	1.580	0.795	1.645	0.745
0.50							1.559	0.780	1.614	0.732
0.51										
0.52										

注：①$r_2/r_1=0$时为圆形基础，$r_2/r_1>0$时为环形基础；
②粗线以下无数据表示基础底的脱开面积A_T已超过全面积的1/4；
③当e/r_1、r_2/r_1为中间值时，τ、ξ均可用内插法确定。

94

础基底部分脱开基土时，基底压力计算系数 τ、ξ

								r_2/r_1	
0.70		0.75		0.80		0.85		0.90	
τ	ξ	τ	ξ	τ	ξ	τ	ξ	τ	ξ
2.000	0.801								
1.980	0.793								
1.955	0.783	2.000	0.687						
1.930	0.773	1.975	0.679						
1.905	0.762	1.950	0.670	2.000	0.565				
1.880	0.752	1.925	0.661	1.975	0.558				
1.855	0.742	1.905	0.654	1.950	0.551	2.000	0.436		
1.830	0.732	1.880	0.645	1.930	0.545	1.980	0.432		
1.805	0.721	1.855	0.637	1.905	0.538	1.955	0.426	2.000	0.299
1.780	0.711	1.830	0.628	1.880	0.531	1.935	0.422	1.985	0.296
1.750	0.700	1.805	0.620	1.855	0.524	1.910	0.416	1.965	0.293
1.725	0.690	1.780	0.612	1.830	0.518	1.885	0.411	1.940	0.290
1.695	0.679	1.750	0.602	1.805	0.511	1.860	0.406	1.915	0.286
1.665	0.668	1.722	0.598	1.777	0.504	1.835	0.401	1.900	0.284
		1.688	0.584	1.746	0.497	1.805	0.396	1.863	0.279
				1.710	0.489	1.769	0.390	1.828	0.275

附录六 基础和锚板基础抗拔稳定计算

（一）土重法计算钢塔基础的抗拔稳定

本规范公式（6.4.3）中的G_e可按下列公式计算：

$$G_e = (V_t - V_0)\gamma_0 \qquad \text{（附6.1）}$$

式中 V_t——h_t深度范围内的土体包括基础的体积（m^3）；

V_0——h_t深度范围内的基础体积（m^3）；

γ_0——土的计算重度（kN/m^3）。

当$h_t \leqslant h_{cr}$时

方形底板：$G_e = \gamma_0 \left[h_t \left(b^2 + 2bh_t \, tg\alpha_0 + \dfrac{4}{3} h_t^2 tg^2\alpha_0 \right) - V_0 \right]$

圆形底板：$G_e = \gamma_0 \left[\dfrac{\pi h_t}{4} \left(d^2 + 2dh_t \, tg\alpha_0 + \dfrac{4}{3} h_t^2 tg^2\alpha_0 \right) - V_0 \right]$

当$h_t > h_{cr}$时

方形底板：$G_e = \gamma_0 \left[h_{cr} \left(b^2 + 2bh_{cr} \, tg\alpha_0 + \dfrac{4}{3} h_{cr}^2 tg^2\alpha_0 \right) \right.$
$$\left. + b^2 (h_t - h_{cr}) - V_0 \right]$$

圆形底板：$G_e = \gamma_0 \left\{ \dfrac{\pi}{4} \left[h_{cr} \left(d^2 + 2dh_{cr} \, tg\alpha_0 \right. \right. \right.$
$$\left. \left. \left. + \dfrac{4}{3} h_{cr}^2 tg^2\alpha_0 \right) + d^2 (h_t - h_{cr}) \right] - V_0 \right\}$$

上述G_e的计算值应根据不同的H/F比值乘下列系数采用：

当$H/F = 0.15 \sim 0.4$时，乘$1.0 \sim 0.9$；

当$H/F = 0.4 \sim 0.7$时，乘$0.9 \sim 0.8$；

当$H/F = 0.7 \sim 1.0$时，乘$0.8 \sim 0.75$。

此外，当底板坡角$\alpha < 45°$时，G_e尚应乘以系数0.8。

（二）土重法计算拉绳锚板基础的抗拔稳定

本规范公式（6.4.4）中的G_e可按下列公式计算：

$$G_e = V_t \gamma_0 \qquad \text{（附6.2）}$$

式中 V_t——锚板上h_t深度范围内的土体体积（m³）；

γ_0——土的计算重度（kN/m³）。

矩形锚板：

当$h_t \leqslant h_{cr}$时

$$G_e = \gamma_0 h_t \left[bl\sin\theta_1 + (b\sin\theta_1 + l)h_t \operatorname{tg}\alpha_0 + \frac{4}{3}h_t^2 \operatorname{tg}^2\alpha_0 \right]$$

当$h_t > h_{cr}$时

$$G_e = \gamma_0 \left\{ h_{cr} \left[bl\sin\theta_1 + (b\sin\theta_1 + l)h_{cr} \operatorname{tg}\alpha_0 \right. \right.$$

$$\left. \left. + \frac{4}{3}h_{cr}^2 \operatorname{tg}^2\alpha_0 \right] + bl(h_t - h_{cr})\sin\theta_1 \right\}$$

上式θ_1为拉绳锚板面与水平面的夹角。

（三）剪切法计算基础的抗拔稳定

剪切抗力是由与土的凝聚力c和内摩擦角ϕ有关的两部分组成。

当$h_t \leqslant h_{cr}$时，本规范式（6.4.5-1）中土体滑动面上剪切抗力的总竖向分量V_e可按下式计算：

$$V_e = 0.4A_1 c h_t^2 + 0.8A_2 \gamma_t h_t^3$$

当$h_t > h_{cr}$时，本规范式（6.4.5-2）中的V_e可按下式计算：

$$V_e = 0.4A_1 c h_{cr}^2 + 0.8A_2 \gamma_t h_{cr}^3$$

又本规范式（6.4.5-2）中的G_e可按下式计算：

$$G_e = \left[\frac{\pi}{4}d^2(h_t - h_{cr}) - \Delta V_0 \right] \gamma_t$$

式中 c——土体饱和状态下的凝聚力（N/m²）；对粘性土，当具有塑性指数I_p和天然孔隙比e时可按附表6.1确定；当粗略估计土体抗拔时，可根据土的密实度按附表6.2确定；

A_1、A_2——与ϕ、h_t/d有关的无因次系数，按附图6.1、6.2、6.3确定；这里的ϕ为土的计算内摩擦角，对粘性土和砂类土按附表6.1、6.2、6.3采用；

h_t——基础上拔深度（m）；

γ_t——原状土的重度（N/m³）；

ΔV_0——$h_t - h_{cr}$范围内的基础体积（m³）。

当基底展开角$\alpha > 45°$时，上述V_e和G_e，也即本规范公式（6.4.5-1）和（6.4.5-2）的右侧V_e项应乘以1.2，此外，尚应根据不同的H/F值乘以与本附录第（一）款相同的系数。

注：粘性土的凝聚力和内摩擦角和砂类土的内摩擦角，可按土工实验室方法或其它野外鉴定方法确定。

粘性土凝聚力c(kN/m²)和内摩擦角ϕ　　附表 6.1

塑性指数 (I_P)	天然孔隙比											
	0.6		0.7		0.8		0.9		1.0		1.1	
	c	ϕ	c	ϕ	c	ϕ	c	ϕ	c	ϕ	c	ϕ
3	18	31°	10	30°								
5	28	28°	20	27°	13	26°						
7	38	25°	30	24°	22	23°						
9	47	22°	38	21°	31	20°	24	19°				
11	54	20°	45	19°	38	18°	31	17°	24	15°		
13	59	18°	54	17°	43	16°	36	15°	30	13°		
15	62	16°	55	15°	48	14°	41	13°	34	11°	27	9°
17	66	14°	58	13°	51	12°	43	11°	37	10°	31	8°
19	68	13°	90	12°	52	11°	45	10°	38	8°	32	6°

粘性土凝聚力c和内摩擦角ϕ　　附表 6.2

剪切指标	土 的 分 类		
	硬 塑	可 塑	软 塑
c(kN/m²)	40～50	30～40	20～30
ϕ	15°～10°	10°～5°	5°～0°

砂 类 土 内 摩 擦 角 φ

砂类土名称	密 实 度		
	密 实	中 密	稍 密
砂砾、粗砂	45°～40°	40°～35°	35°～30°
中　　砂	40°～35°	35°～30°	30°～25°
细砂、粉砂	35°～30°	30°～25°	25°～20°

注：孔隙比 e 小者，φ 取大值。

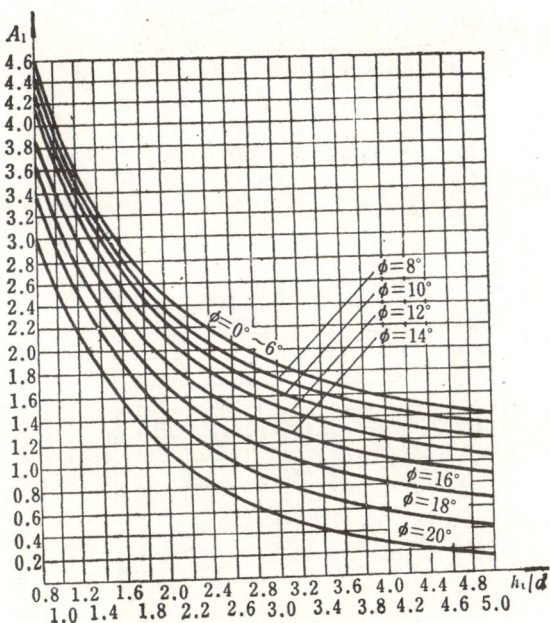

附图 6.1　$A_1 = f(φ、h_i/d)$ 曲线

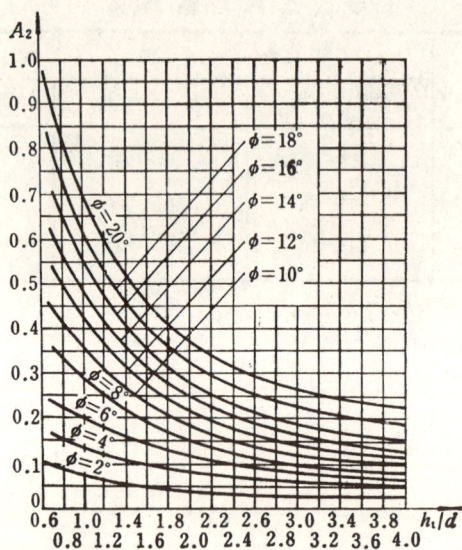

附图 6.2 $A_2 = f(\phi,\ h_1/d)$ 曲线之一

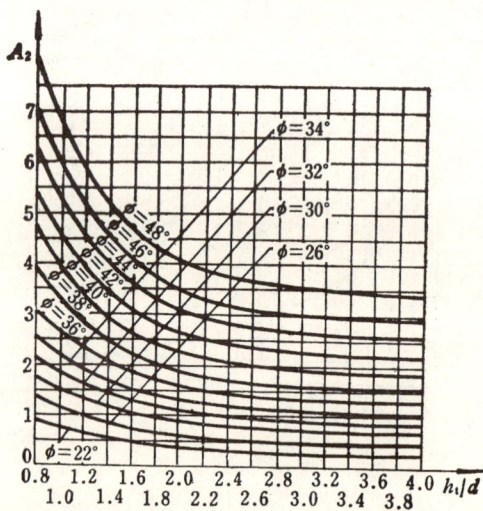

附图 6.3 $A_2 = f(\phi,\ h_1/d)$ 曲线之二

附录七　本规范用词说明

一、为便于在执行本标准条文时区别对待，对要求严格程度不同的用词说明如下：

1.表示很严格，非这样作不可的：

正面词采用"必须"；

反面词采用"严禁"。

2.表示严格，在正常情况均应这样作的：

正面词采用"应"；

反面词采用"不应"或"不得"。

3.表示允许稍有选择，在条件许可时首先应这样作的：

正面词采用"宜"或"可"；

反面词采用"不宜"。

二、条文中指定应按其它有关标准、规范执行时，写法为"应符合……的规定"或"应按……执行"。

附加说明

本规范主编单位、参加单位
和主要起草人

主 编 单 位：同济大学

参 加 单 位：广播电视电影部设计院、设备制造厂，中国石
油化学工业总公司洛阳设计院，岳阳石化总厂
设计院，冶金部长沙矿山冶金设计院，机械电
子部第十设计院，中国建筑西南设计院，哈尔
滨建筑工程学院，湖南大学，福州大学。

主要起草人：朱振德　陶启坤　欧阳可庆　王肇民　刘大晖
王墨耕　陶亚东　张相庭　刘　季　郑学栋
赵德厚　王可民　王鸿志　徐　和　郭蔚铣
田良诚　陈学坦　鞠洪国　古天纯　黄本才
锺爱达　马人乐